W9-DIU-971

101 PERSONNALITÉS, 101 RECETTES

Les productions Johanne Demers

101 PERSONNALITÉS, 101 RECETTES

Saputo

Direction du projet, relations publiques et recherche de commandites
Johanne Demers

Conception, direction artistique et production
Houlala! Communications
Directeur de création et rédacteur
Louis Cardin
Concepteurs et directeurs artistiques
Louis Cardin et Étienne Poulin
Graphisme et mise en page
Étienne Poulin
Infographiste
Gérard Lamarche
Coordonnateur et réviseur
Marco Chioini

Photographe
Louis Prud'homme
Assistante
Caroline Graf

Stylistes culinaires et directeurs artistiques de plateau
Josée Robitaille et Marc Maulà
Styliste accessoires
Caroline Simon

Harmonisation des recettes
Josée Robitaille
Accords vins et mets
Alain Bélanger
Révision finale et correction d'épreuves
Éric Plante, C'est tout comm...
Odette Lord

L'impression de ce livre a été faite sur du papier fin Cascades.
Feuilles de garde : Rolland Opaque vélin, blanc brillant, 200M
Pages intérieures : Jenson Satin Texte, 160M

Préimpression, impression et reliure
Transcontinental Litho Acme

Publié par
Les productions Johanne Demers
ISBN 2-9808215-0-0

Dépôt légal – Bibliothèque nationale du Québec, 2003
Dépôt légal – Bibliothèque nationale du Canada, 2003

165, chemin de la Côte Sainte-Catherine,
Bureau 1212, Outremont (Québec) H2V 2A7

Catalogage avant publication de la Bibliothèque nationale du Canada
Vedette principale au titre :
101 personnalités, 101 recettes

Comprend des réf. bibliogr. et un index.
ISBN 2-9808215-0-0

1. Cuisine québécoise.
I. Titre : Cent une personnalités, cent une recettes.
TX715.6.C47 2003 641.59714 C2003-941774-3

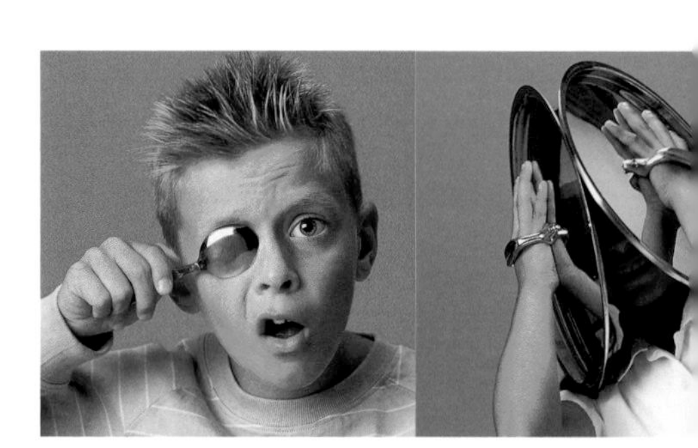

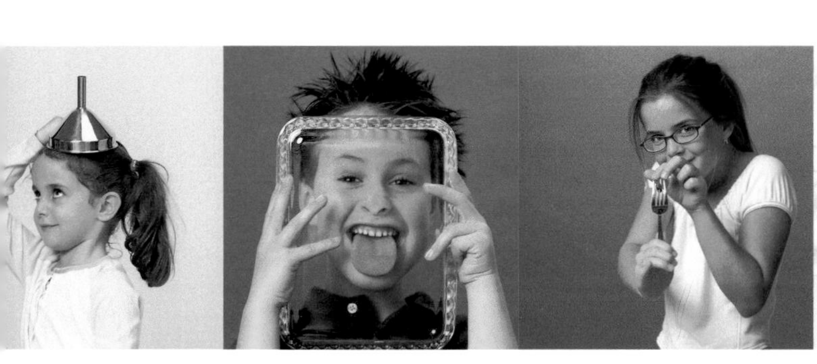
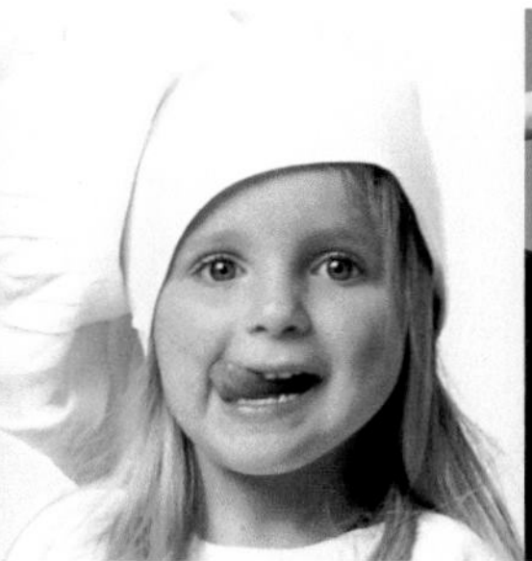

NOS 101 PERSONNALITÉS DÉDIENT CE LIVRE À LEURS ENFANTS

Adélaïde, Adèle, Adrien, Alexandra, Alexandre, Alexis, Alice, Amélie, Anaïs, Anne-Marie, Antoine, Antonin, Arthur, Bastien, Béatrice, Bruno, Caroline, Carolyne, Catherine, Charlotte, Chloé, Christian, Clara, Claude, Claudia, Claudie, Clémence, Coralie, Cristina, Dat, David, Delphine, Dominic, Dylan, Edmond, Edouard, Elaine, Elmira, Elsa, Émile, Emma, Emmanuelle, Éric, Éva, Éveline, France, François, Frédéric, Frédérique, Gabriel, Gabrielle, Geneviève, Geoffroy, Gregory, Guylaine, Hugo, Isabelle, Jean, Jean-Benoît, Jean-Charles, Jean-François, Jean-Michel, Jeanne, Jean-Sébastien, Jessie, Johanne, Johnny, Joseph, Joséphine, Julie, Justine, Laurent, Laurie, Lea, Léon, Lili, Lorenzo, Louis, Lucie, Luis-David, Mahalia, Maïa, Manon, Marc-André, Marc-Antoine, Marc-Étienne, Marc-Olivier, Marianne, Marie, Marie-Hélène, Marilou, Marion, Martin, Mathieu, Maude, Maxim, Maxime, Melissa, Michèle, Ming-Duy, Mondeo, Morgane, Myriam, Noémie, Olivier, Oriane, Patricia, Patrick, Paul, Philippe, Pierre, Raphaël, Rébecca, Renaud, René-Charles, Romane, Rosalba, Rose-Marie, Sabrina, Sandra, Sarah, Sébastien, Séléna, Simon, Sophie, Stefano, StellaRose, Steve, Sydney, Thinh, Thomas, Valérie, Victoria, Violaine, Virginie et William.

La marmite à malices

Le verre de lait chaud sucré au miel de trèfle des petits matins frisquets. La *bananarachide*, moelleuse tartine, souriante la plupart du temps, inséparable de sa cousine la *fraisarachide* des retours d'école. Le grand bol de spaghettis qui fuient et la tarte aux pommes « carreautée », le sucre à la crème du dimanche soir, les beignes de Noël de maman, la dinde croustillante du Nouvel An... et enfin, le gâteau d'anniversaire.

Avec les cabanes dans les arbres, les jeux interdits dans les trous d'eau et les histoires du bonhomme Sept Heures, nos souvenirs de gamins sains et vigoureux sont tissés autour de ces petites pauses gourmandes où, mains collantes et visages barbouillés, on riait aux éclats de notre douce insouciance.

Les petits patients de l'Hôpital Sainte-Justine n'ont pas toujours la chance de jouir ainsi de leur insouciance, de se régaler des petits becs sucrés de la vie. Voilà la raison d'être de cette édition de *101 personnalités, 101 recettes* au profit de la Fondation de l'Hôpital Sainte-Justine : c'est une marmite remplie de fumets, de parfums et de saveurs, de douces caresses pour apaiser leurs petits malheurs et soulager leurs grands maux.

Moment de pause, de temps suspendu, qu'il s'agisse d'une gâterie vite préparée, vite avalée ou d'un plat plus savamment élaboré, l'heure des repas et les plaisirs de la table nous rassemblent. En famille, entre amis, entre amants, pour apprendre à mieux nous connaître ou à renouer des liens, la table est le théâtre de toutes nos émotions.

C'est justement en puisant dans ces émotions que nos 101 personnalités ont accepté de partager avec nous un petit morceau de leur intimité, un petit bout de leur cœur d'enfant. Voici donc 101 recettes griffonnées sur un coin de table, 101 façons d'aborder les plaisirs de la cuisine pour soi et les siens ou, dans le cas de nos sublimes chefs – dont j'ai gardé les recettes pour la fin comme un dessert –, pour notre plus grand bonheur à tous et à toutes.

Et comme le bonheur s'épanouit encore mieux dans l'harmonie, l'émotion est à son comble lorsque chaque mets trouve son accord grâce aux mariages célébrés par le sommelier Alain Bélanger, qui nous fait cadeau du secret des alliances les plus inventives.

Tous les ingrédients sont là ! Petits chefs et grands cuistots, il suffit maintenant de laisser s'opérer l'alchimie des goûts, des textures et des couleurs, pour transformer tous ces secrets et souvenirs en moments mémorables autour de la table. Qui sait ? Certaines de ces recettes se fraieront peut-être un chemin dans le cœur des générations à venir !

Johanne Demers

Johanne Demers
Éditrice
Les productions Johanne Demers

La main à la pâte

Autant m'en confesser avant de me faire cuisiner : je n'ai pas été pressenti pour mes talents culinaires ! Le nom Lemaire étant davantage associé au mot papier qu'à celui de cuisinière. Plus souvent, j'ai vu le *blender* transformer des vieux papiers plutôt que des beaux poireaux. La seule pâte que je réussis vraiment bien, vous l'aurez deviné, ne contient pas de sel, mais sert à fabriquer d'excellents papiers...

Et le papier, pour faire un livre, c'est génial !

Pour me convaincre, on m'a parlé d'un projet rassembleur. Un projet fait dans le partage et la générosité. Un projet de bon goût qui sera source de plaisirs pour des années à venir. Bref, un projet séduisant parce qu'il ne fait que des gagnants tout en soutenant l'engagement de la Fondation de l'Hôpital Sainte-Justine en faveur des enfants et des mères. Nous avions donc tous les bons ingrédients en place pour produire 101 recettes.

Il ne restait qu'à mettre la main à la pâte !

Vous serez à même de constater que certaines recettes ont beaucoup de personnalité ! C'est le propre de la gastronomie : tout le monde y trouve son compte. Néanmoins, s'il m'arrive à l'occasion d'apprécier les plats d'excellents chefs cuisiniers, je demeure tout autant fasciné par l'assiduité de nos chefs de famille, particulièrement nos mères, qui confectionnent tous les jours des repas simples mais savoureux, avec un don de soi exemplaire.

Avant de vous laisser à vos chaudrons, je profite de cette tribune pour remercier tous les gens qui ont si généreusement donné de leur temps et qui ont ainsi contribué à faire de ce projet un véritable succès.

Cascades

Alain Lemaire
Président et chef de la direction
Cascades

La cuisine, une affaire d'enfant

La cuisine, c'est comme les affaires : il n'y a pas de secret, seulement des recettes. Vous connaissez comme moi ce qui fait le succès d'une entreprise comme la nôtre : les petites attentions, l'ambiance, le style et beaucoup de passion. Ce qui n'est pas loin de ce qui se passe dans une cuisine et qui déterminera le succès d'un bon repas.

Dans ce livre, il y a la passion de la nourriture et des bonnes choses, mais aussi de cette période de la vie qui abrite souvent nos plus beaux moments, celle de l'enfance. L'enfance que l'on chérit, que l'on protège et que l'on soigne aussi parfois. Cette dernière est l'affaire de l'Hôpital Sainte-Justine. En vous retrouvant avec ce livre entre les mains, c'est cette cause que vous aidez. Dès lors, le plaisir des repas préparés au hasard des recettes que vous y aurez choisies sera aussi celui de contribuer au mieux-être des enfants malades.

Le plaisir n'est jamais aussi grand que lorsqu'il est partagé ; c'est ce qu'une bonne table nous apprend, c'est aussi ce que l'amour nous dicte. Puissiez-vous trouver l'un et l'autre dans ce livre, et vous laisser emporter sur les ailes du bonheur.

En terminant, un grand merci à Johanne Demers qui a relevé avec brio, pour une deuxième année, le formidable défi de rassembler toutes ces personnalités autour d'une même cause. Un très grand merci à tous ceux et celles qui ont collaboré à ce livre... ainsi qu'à tous les lecteurs qui partagent avec nous leur générosité.

Bonne lecture !

Paul Delage Roberge
Président et chef de la direction
Les Ailes de la Mode

Aidons nos enfants à croquer dans la vie

Comment ne pas succomber à un projet aussi généreux ? Quelle belle idée de rassembler, dans un même recueil, les recettes et coups de cœur culinaires de 101 personnalités de chez nous. Et quelle idée encore plus extraordinaire que celle de le faire au profit d'une cause qui nous unit tous, celle des enfants malades !

Un merci très sincère et très chaleureux à M. Paul Delage Roberge, président et chef de la direction des Ailes de la Mode, à M. Alain Lemaire, président et chef de la direction de Cascades, ainsi qu'à tous ceux et celles qui ont participé à la réalisation de cet ouvrage. Sachez tous que cette belle et grande générosité a des répercussions extrêmement positives pour les quelque 250 000 patients soignés chaque année à l'Hôpital Sainte-Justine.

Grâce à la générosité de nos donateurs, les petits patients de Sainte-Justine profitent de la meilleure médecine au monde, d'une recherche d'avant-garde et de l'expertise de professionnels de la santé à la fine pointe des connaissances et des technologies.

Alors, allez-y ! Parez, bardez, lardez, émincez, piquez, hachez, grillez, rissolez, gratinez... vous aiderez ainsi les enfants du Québec à croquer dans la vie !

FONDATION
DE L'HÔPITAL
SAINTE-JUSTINE

Pour l'amour des enfants

Lucie Rémillard, CFRE
Présidente et directrice générale
Fondation de l'Hôpital Sainte-Justine

Il était une fois... une histoire vraie

La grenouille et le bœuf, les trois petits cochons, la chèvre de M. Seguin, Grujot et Délicat, la Fourmi atomique et les tortues Ninja font partie de cette foisonnante ménagerie de héros qui ont fait s'esclaffer, frémir ou sangloter mille et une générations de petits bouts de chou. Seulement voilà, il existe aussi une gentille bête, nonchalante et flemmarde, que vous croyiez jusqu'à ce jour sans histoires. Elle a tenu une place de choix dans mon imaginaire d'enfant, alors qu'elle était généralement reléguée aux oubliettes. On la laissait dormir sur une tablette du frigo ou roupiller dans la dépense. Son nom ? La petite vache, mais elle n'avait pas mal aux pattes, celle-là. Elle ornait l'emballage de ce que j'appelais du *bicarbonate de soupe*, puisque ma mère l'utilisait allègrement pour épaissir ses potages clairets lorsque la fécule de maïs venait à manquer – eh oui, ma mère faisait vraiment ça. La petite vache était l'une des rares bestioles riches et célèbres à ne pas être née de la plume de La Fontaine ni de celle d'un conteur à l'imagination fertile. Elle sortait tout droit de la fabrique de Cow Brand. Aujourd'hui, la malheureuse se dérobe à nos regards, puisqu'un biceps gonflé et vaillant a remplacé son effigie. Autres temps, autres mœurs.

Son histoire est un peu la mienne et celle de ma maman, véritable mère courage, mais décourageante ménagère. Ma mère n'avait aucun don pour la cuisine. Elle est la seule, je crois, à avoir défié les formules chimiques éprouvées en n'étant jamais parvenue à faire « prendre » son Jell-O. Je me souviens, on ne le mangeait pas, on le buvait. En contrepartie, ma mère donnait raison à la loi de la gravité en ne réussissant d'aucune manière à faire lever ses gâteaux. Pour moi, un gâteau reste encore aujourd'hui un mélange qu'on savoure en y trempant le doigt. Et je ne saurais occulter le souvenir de ses rôtis trop cuits qui provoquaient une affection aux mâchoires, comparable à une tendinite. Mais malgré ses piètres performances culinaires, je l'admirais pour sa ténacité et ses déconcertantes velléités de maman « gâteau ».

Pendant que les mères de mes amis préparaient de leurs blanches mains des sucreries enveloppées dans du papier ciré – que leur progéniture dégustait dans la cour de l'école entre deux sonneries –, moi, je me contentais d'une pomme ou d'une orange rapidement glissée dans mon sac en papier brun. Parfois, j'avais la joie d'y découvrir une tablette de chocolat Dominion. Mais pas de trottoirs aux framboises maison, pas de sucre à la crème, pas de carrés de Rice Crispies, pas de bonbons aux patates et au beurre d'arachide.

Un jour, je m'en suis plaint et j'ai revendiqué mon droit au bonheur. J'avais l'avantage du terrain : j'étais coincé à la maison, à cause de la picote, et j'y régnais en maître. Alors, pour ne pas avoir de remords sur la conscience ni être accusée de lèse-majesté, ma mère avait pris son courage et son énorme bible de Jehane Benoit à deux mains. Elle avait nerveusement feuilleté le gros livre, puis l'avait refermé comme si l'histoire était terminée. Mais non. Elle allait commencer.

« Qu'est-ce que tu dirais, mon Lou, si maman faisait de la bonne tire éponge ?

– Hein ! T'es capable de faire ça ? Pareille comme que celle que M. Lachapelle vend dans son dépanneur ? Wow ! ».

À l'époque, on ne disait pas encore *super*, pas plus que *cool*.

Elle m'avait lancé un regard fier et étincelant. J'étais ravi et impressionné. Et comme elle me répétait souvent : « Quand on veut, on peut ! », je la forçais régulièrement à appliquer cette règle à elle-même.

Elle avait donc sorti un chaudron du tiroir de la cuisinière, puis une cuillère en bois bruni, du sirop de maïs, du sucre et quelques autres ingrédients, et avait allumé un rond. Je suivais des yeux les gestes incertains de mon alchimiste adorée. La mixture commençait déjà à bouillonner et des effluves de caramel chatouillaient mes narines. Je n'en revenais pas ! Ma mère s'était transformée en *Merline, l'enchanteresse* et moi, du coup, j'étais devenu l'*apprenti sourcillant*.

C'est alors que la petite vache, dont je ne voyais la binette qu'une fois l'an, c'est-à-dire au temps des Fêtes, quitta son pâturage pour entrer en scène. Ma mère, qui n'était pas une femme aux demi-mesures, suspendit la bête égarée au-dessus de la marmite fumante et inclina la boîte pour en verser une fraction du contenu. Un moment d'inattention, un geste malencontreux... et une avalanche de fine poudre blanche déferla dans le gouffre odorant. La petite vache se retrouva les quatre fers en l'air dans le chaudron. Même sans abracadabra de circonstance, la magie opéra ! La potion se mit à frétiller à gros, gros bouillons, et à gonfler dangereusement. Je débordais d'allégresse. Le chaudron, aussi.

« Maman, maman... regarde la tire !

Je vis poindre un gigantesque émoi dans les yeux de ma mère.

– Éponge, mon Lou, éponge ! »

J'eus le réflexe d'aller chercher son sac à main et de le lui tendre. Quand une situation la prenait par surprise, elle agrippait sa sacoche et la serrait tout contre elle.

« Non, mon Lou, maman veut des guénilles ! Pis sors d'autres chaudrons, des journaux pis des assiettes en aluminium ! »

Ma mère zigzaguait dans la cuisine, en tenant au bout de ses bras son chaudron qui ne cessait de répandre des coulées de lave spongieuse et sucrée. Moi, je la suivais comme un joueur de curling, essuyant au passage le magma collant ou, encore, stoppant l'hémorragie de matière en fusion avec tous les récipients à ma disposition. C'était l'invasion des moppes abeilles ! Un remake de *The Blob* ! Pire encore : nous revivions, dans une version domestique et miniature, la formidable éruption du Vésuve. J'étais tétanisé ! Je nous voyais figés à jamais dans notre train-train quotidien — à l'instar des victimes de Pompéi —, ensevelis sous la tire éponge durcie et exposés au Musée de la civilisation ! Lorsque le volcan s'apaisa, la cuisine n'était plus qu'un champ de bataille dévasté. Les survivants que nous étions n'avaient certes pas de la broue dans le toupet, mais de la tire éponge, coriace et âcre, en abondance. Il y en avait partout. La friandise était si dure que, même en la frappant, on ne pouvait la briser.

Sans le savoir, ma mère venait de mettre au point un prototype de résine de synthèse ou de PVC, dans une forme quasi comestible et presque sans danger pour l'environnement. Si elle avait eu la présence d'esprit de faire breveter son invention, nous serions sûrement milliardaires aujourd'hui.

Au cours des années qui ont suivi, ma maman m'a donné des sous afin que je puisse me ravitailler en tire éponge chez M. Lachapelle. Adulte, je n'ai jamais pu oublier ce premier contact avec les joies de la cuisine. J'évite aussi toute recette qui requiert l'usage de *bicarbonate de soupe*. Ne serait-ce qu'un millième de cuillerée. Quand j'y suis contraint, je sors mes gants blancs et déverse la quantité requise avec précaution, comme si je manipulais de la nitroglycérine.

Malheureusement, ma petite vache à la frimousse candide n'est plus visible dans le paysage des supermarchés. Alors, dès que la nostalgie de mon enfance vient frapper à ma porte, je me rends en pèlerinage au comptoir des produits laitiers pour y saluer sa copine, la vache qui rit. On ne sait jamais. Elle aurait peut-être eu de ses nouvelles...

Louis Cardin
Directeur de création
Houlala ! Communications

Maman fait dire de suivre toutes ses instructions à la lettre.

A Ingrédients **B** Méthode **C** Accord vins et mets

J'avais cinq ans et j'étais à la maternelle. Il s'agit de ma toute première photo «officielle».

BEAUCHAMP Ministre de la Culture et des Communications

Poulet sauté aux olives
Pour 4 à 6 personnes

A

8 hauts de cuisse de poulet, désossés et sans peau

5 ml (1 c. à thé) de feuilles de thym frais

16 tranches de bacon de dos

30 ml (2 c. à soupe) d'huile d'olive

1 oignon pelé et haché

2 gousses d'ail, pelées et écrasées

3 tomates émondées, épépinées et coupées en cubes

500 ml (2 tasses) de vin blanc sec

1 bouquet garni (estragon frais, persil plat, céleri, laurier)

250 ml (1 tasse) d'olives noires dénoyautées, coupées en deux

80 ml (1/3 tasse) de persil plat, haché

Sel et poivre noir du moulin

B

Parsemer les hauts de cuisse de poulet de quelques feuilles de thym. Envelopper de deux tranches de bacon. Ficeler ou fixer à l'aide d'un cure-dent.

Dans une grande cocotte en fonte, faire chauffer l'huile à feu moyen. Saisir les hauts de cuisse environ 10 minutes. Retirer et assaisonner.

Ajouter l'oignon et faire revenir 5 minutes en prenant soin de bien décoller les sucs à l'aide d'une cuillère de bois. Ajouter l'ail et les tomates, et bien mélanger. Mouiller avec du vin blanc et porter à ébullition. Laisser mijoter 5 minutes à feu vif pour faire évaporer l'alcool. Remettre le poulet dans la casserole et ajouter le bouquet garni. Couvrir et laisser mijoter à feu doux environ 10 minutes.

Découvrir et augmenter le feu à moyen-élevé. Laisser cuire environ 5 minutes pour faire réduire le jus de cuisson. Ajouter les olives, le persil et bien mélanger. Vérifier l'assaisonnement et laisser réchauffer 5 minutes.

Servir dans des assiettes creuses ou dans un plat de service. Accompagner de tagliatelles.

C

Vin rouge ensoleillé et suave. Côtes-du-Rhône Villages Cairanne, Domaine Oratoire Saint-Martin.

! **MON ÉMISSION PRÉFÉRÉE ÉTANT PETITE** *Cré Basile*. **MON HÉROÏNE FICTIVE** Fanfreluche, pour le doux pouvoir de l'imagination et du rêve. **MON PLAT DE RÉCONFORT** Les chips !

La vie est émaillée de moments délectables où tout semble couler de source. Le souvenir que j'associe à cette recette compte parmi les instants magiques que j'ai savourés. C'était au jour de l'An. Nous célébrions entre amis. Il y avait le foie gras, le bon vin, la musique, les bougies, les blagues et, bien sûr, le divin poulet aux olives.

robert

BEAUCHEMIN Journaliste gastronomique et professeur d'anthropologie

Le laksa, une soupe malaise

Pour 4 personnes

A

LA PÂTE DE LAKSA

1 oignon pelé et haché grossièrement

5 ml (1 c. à thé) de gingembre frais, coupé en morceaux

15 ml (1 c. à soupe) de galanga frais, coupé en morceaux

2 gousses d'ail, pelées et coupées en morceaux

2 bâtons de citronnelle, coupés en morceaux

6 petits piments rouges, frais

4 noix de Grenoble, amandes ou noisettes

5 ml (1 c. à thé) de graines de coriandre

5 ml (1 c. à thé) de graines de cumin

5 ml (1 c. à thé) de paprika

LA SOUPE LAKSA

90 g (3 oz) de vermicelles de riz

30 ml (2 c. à soupe) d'huile d'arachide

1,5 L (6 tasses) de bouillon de volaille

10 ml (2 c. à thé) de sucre de palme ou de canne pur

Environ 5 ml (1 c. à thé) de sel marin

500 ml (2 tasses) de lait de coco

1/2 poulet cuit, froid ou chaud, désossé et coupé en cubes

8 crevettes décortiquées et déveinées (grosseur 26/30)

Quelques cubes de tofu

30 ml (2 c. à soupe) de pousses de bambou frais ou en conserve

1 concombre pelé et coupé en julienne

250 ml (1 tasse) de germes de soya frais

Quelques feuilles de menthe fraîche

Quelques feuilles de coriandre fraîche

LE MOT À LA BOUCHE

Le *galanga* est un rhizome très proche du gingembre. On le trouve dans les épiceries asiatiques.

LA PÂTE DE LAKSA

Dans un mélangeur électrique ou un robot culinaire, réduire en purée tous les ingrédients de la pâte de laksa. Réserver.

LA SOUPE LAKSA

Verser de l'eau bouillante sur les vermicelles et laisser reposer quelques minutes. Rincer et égoutter. Réserver.

Dans un wok, faire chauffer l'huile à feu moyen et faire revenir la pâte de laksa environ 5 minutes.

Ajouter le bouillon et le sucre. Saler au goût, surtout si le bouillon n'est pas déjà salé, et porter à ébullition. Réduire à feu moyen et ajouter le lait de coco en brassant constamment, jusqu'à ce que le liquide soit bien chaud.

Ajouter ensuite le poulet, les crevettes, le tofu et les pousses de bambou et poursuivre la cuisson quelques minutes. Il est important de ne pas faire bouillir.

Répartir les vermicelles, le poulet, les crevettes et le tofu dans chacun des quatre plats creux et y verser la soupe chaude. Ajouter le concombre en julienne, les germes de soya et garnir de feuilles de menthe et de coriandre.

Voici un plat qui se suffit à lui-même. Sinon, optez pour un Gewurztraminer d'Alsace.

! **MON CONTE PRÉFÉRÉ ÉTANT PETIT** *Les Bottes de sept lieues.* **MON HÉROS FICTIF** Indiana Jones, intello grand voyageur, un peu pédant, casse-cou, curieux.

C'est, pour le moment, mon plat préféré (soyez-en avisé : ça varie tout le temps). Acide, aigre, sucré, salé, il contient toute l'Asie dans une seule bouchée. Pour moi, cette région du globe, ses parfums, ses goûts francs, presque violents, ont été LE grand révélateur. J'ai eu 18 ans en Inde, 19 en Thaïlande et 21 en Indonésie. Un hasard peut-être, mais ces moments-là ont façonné ma vie et lui ont donné un réel coup de hanche.

Bien que mon plat de prédilection soit les ris de veau et que les potages de toute nature me fassent succomber à la gourmandise, je vous présente cette terrine, car elle a ceci de mémorable et de particulièrement capiteux : préparée pour le souper de mes 51 chandelles, elle avait tellement plu au poète Gaston Miron qu'il en avait mangé la moitié à lui seul ! Heureusement, il nous avait laissé du gâteau.

Juste avant de prendre la photo, ma mère m'avait donné mon bain, puis déposé sur le lit. J'en étais tombé et avais roulé dessous.

BEAUCHEMIN Écrivain

Terrine de blancs de poulet

Donne 1 terrine

A

- 2 suprêmes de poulet (blancs de poulet)
- 15 ml (1 c. à soupe) de beurre
- 400 g (14 oz) de foies de volaille
- 350 g (12 oz) de collet de porc
- 300 g (10 oz) de lard frais et gras
- 2 tranches de pain blanc
- 2 oignons pelés et hachés grossièrement
- 60 ml (1/4 tasse) de crème à 35 %
- 1 œuf
- 30 ml (2 c. à soupe) d'eau-de-vie au choix
- 5 ml (1 c. à thé) de feuilles de thym frais
- 2,5 ml (1/2 c. à thé) de romarin frais, haché finement
- 30 ml (2 c. à soupe) de paprika doux
- 5 ml (1 c. à thé) de poivre blanc, moulu
- 10 ml (2 c. à thé) de sel
- Sel et poivre du moulin

B

Rincer les blancs de poulet sous l'eau froide, puis les essuyer. Dans une poêle, faire chauffer le beurre à feu moyen et y saisir les suprêmes de poulet des deux côtés, jusqu'à ce qu'ils soient bien colorés. Assaisonner et laisser refroidir.

Rincer les foies de volaille et le collet de porc sous l'eau froide et essuyer. Parer les foies, c'est-à-dire supprimer le gras et les petites veines. Couper en dés les foies, le collet, le lard et le pain.

Dans la poêle utilisée pour le poulet, ajouter les oignons et faire cuire 5 minutes à feu moyen. Incorporer aux ingrédients coupés en dés. Ajouter la crème, l'œuf, l'eau-de-vie, le thym, le romarin, le paprika, le poivre et le sel. Bien mélanger. Mettre au congélateur et laisser refroidir environ 15 minutes.

Passer la préparation dans un hachoir muni d'une grille fine, puis répéter une seconde fois. Huiler l'intérieur d'une terrine de 1,5 L (6 tasses) et déposer la moitié de la préparation à l'intérieur. Y déposer les blancs de poulet. Recouvrir du reste de la préparation et couvrir.

Cuire la terrine dans un bain-marie, de 1 heure et quart à 1 heure et demie, au four préchauffé à 190 °C (375 °F). À la mi-cuisson, si nécessaire, ajouter de l'eau dans le bain-marie. Lorsque la terrine est cuite, la retirer et laisser refroidir avant de la mettre sous presse, au réfrigérateur, jusqu'au lendemain.

LE MOT À LA BOUCHE

Mettre sous presse ne veut pas dire que vous devez remettre votre terrine à votre éditeur pour l'impression, mais plutôt que vous devez déposer une surface plane comme une planche à découper et un poids par-dessus afin de la compresser.

C

Un vin blanc souple. Mâcon-Uchizy, G. et P. Talmard.

! **MON PLUS BEAU SOUVENIR D'ENFANCE** Un petit avion fait de bouts de bois que j'avais construit à six ans et que je traînais au bout d'une corde. **MON ÉMISSION PRÉFÉRÉE ÉTANT PETIT** *Yvan, l'intrépide* à la radio.

Je me souviens avec délices des moments que nous passions à la maison de campagne. Entre autres, ces matins où ma grand-mère maternelle, Berthe Bouchard, nous préparait ses fameuses crêpes, à mes deux cousins et à moi. Aussitôt qu'elle mettait la main à la pâte et que l'odeur des crêpes chaudes et moelleuses embaumait l'atmosphère, il s'ensuivait toujours une féroce compétition pour déterminer lequel de nous trois allait en manger le plus. On parle ici d'une vingtaine ! À défaut d'avoir cassé les œufs et fouetté le mélange, nous avons au moins eu le mérite d'avoir battu quelques records.

C'est ma photo de confirmation. Je me rappelle encore la tape du cardinal Léger.

raymond
BOUCHER Président du conseil, Société des alcools du Québec
Président du conseil, Fondation de l'Hôpital Sainte-Justine

Les crêpes de ma grand-mère

Pour 4 personnes

A

250 ml (1 tasse) de farine

2,5 ml (1/2 c. à thé) de sucre

1 pincée de sel et de poivre

1 œuf

300 ml (1 1/4 tasse) de lait à 2 %

5 ml (1 c. à thé) d'extrait de vanille pur

Un peu de beurre ou de graisse végétale

B

Dans un grand bol, mélanger la farine, le sucre, le sel et le poivre. Réserver.

À l'aide d'un fouet, mélanger l'œuf, le lait et la vanille. Incorporer les ingrédients liquides aux ingrédients secs et mélanger jusqu'à consistance homogène. Si nécessaire, ajouter un peu de lait. Passer à la passoire fine.

Faire chauffer une poêle de fonte à feu moyen. Ajouter un peu de beurre ou de graisse végétale. Verser l'appareil pour former des crêpes d'environ 13 cm (5 po) de diamètre. Cuire des deux côtés et servir bien dorées.

Servir les crêpes avec un carré de beurre. Ajouter une généreuse portion de sirop d'érable de première qualité et, si désiré, accompagner de saucisses de porc et de bœuf.

MON PLUS BEAU SOUVENIR D'ENFANCE Nos vacances d'été au Manoir Richelieu et la randonnée aller-retour sur un bateau de la *Canada Steamship Lines*. **MA FRAYEUR D'ENFANT** Me retrouver en enfer !

Je devais avoir deux ans et demi. Je suis assise au comptoir du restaurant que tenaient mes parents. De la graine d'épicurienne ! Ça se voit à mon air gourmand et satisfait !

BOULAY Interprète

Soleils d'orange à la cannelle

Pour 2 personnes

A

2 oranges pelées

30 ml (2 c. à soupe) d'huile d'olive

Un peu de cannelle moulue (au goût)

Quelques feuilles de menthe fraîche, ciselées

2 portions de glace à la vanille

B

Trancher les oranges en rondelles. Déposer en cercle dans deux assiettes. Mélanger l'huile, la cannelle et la menthe et verser sur les oranges. Couvrir et réfrigérer 1 heure pour permettre aux saveurs de bien se marier.

Sortir du réfrigérateur et accompagner de glace à la vanille.

NOTE

On peut remplacer la glace à la vanille par du foie gras et servir cette recette en entrée avec des olives noires du Maroc.

C

Tanit, Moscato, Passito di Pantelleria.

! **MON PLUS BEAU SOUVENIR D'ENFANCE** Ma tante Adrienne me faisait faire des tours de laveuse à tordeur dans toute la maison. Ça durait des heures ! **MON PERSONNAGE PRÉFÉRÉ ÉTANT PETITE** Fanfreluche.

Cette recette, je l'associe au tournage du clip de la chanson « Mieux qu'ici-bas ». Nous avions passé trois jours à Ouarzazate, au Maroc. Nous nous trouvions aux portes du désert. C'était complètement dépaysant. Je n'oublierai jamais l'intensité de la lumière du jour, l'odeur de la terre, la campagne désertique et ses rochers rouges immenses. Les gens habitaient de grandes tentes en laine, qu'ils regagnaient dès que la nuit tombait et que le mercure descendait. Nous nous retrouvions alors au restaurant de notre hôtel et nous nous régalions des spécialités marocaines. Un soir, au dessert, on nous a servi ces fameuses oranges...

Ma fille Gabrielle a utilisé cette recette pour une présentation orale dans le cadre de son cours d'anglais. D'ailleurs, elle nous surprend régulièrement avec ses magnifiques gâteries du dimanche matin. Je vous livre donc ici la version française de ces petits pains typiquement anglais ou, plus précisément, écossais. Vous pouvez les déguster au *breakfast* ou pour le thé de fin d'après-midi, dit *high tea*. Coupés en deux, beurrés (ce qui chez moi confine au vice), tartinés de confiture ou garnis de fromage, les scones sont un plaisir pour les fines bouches, quelle que soit leur langue.

Ma première année à l'école Notre-Dame-du-Bonsecours. J'étais si fière de ma tunique!

BRIEN Coprésidente de la campagne «Grandir en santé» de la Fondation de l'Hôpital Sainte-Justine

Scones aux canneberges

Donne 8 scones

A

- 500 ml (2 tasses) de farine tout usage
- 10 ml (2 c. à thé) de levure chimique
- 60 ml (1/4 tasse) de sucre
- 2,5 ml (1/2 c. à thé) de sel
- 60 ml (1/4 tasse) de beurre froid, coupé en dés
- 150 ml (2/3 tasse) de canneberges séchées
- 2 œufs battus
- 125 ml (1/2 tasse) de crème à 35 %

B

Dans un grand bol, mélanger la farine, la levure chimique, le sucre et le sel. Incorporer le beurre et travailler avec les doigts ou avec un couteau à pâtisserie jusqu'à consistance grumeleuse.

Ajouter les canneberges et bien mélanger.

Mélanger les œufs et la crème, puis les verser dans la préparation. Sur une surface enfarinée, bien mélanger et pétrir 1 minute.

Former une boule de pâte et l'abaisser à environ 1,5 cm (3/4 po) d'épaisseur. Couper en huit pointes et saupoudrer de sucre, si désiré. Déposer les scones sur une plaque à biscuits légèrement beurrée ou recouverte d'un papier parchemin.

Cuire environ 10 minutes au four préchauffé à 200 °C (400 °F). Servir chaud, accompagné de beurre, de confitures ou de fromages.

C

Restons classique!
Un thé assam First Flush.

!

MON PLUS BEAU SOUVENIR D'ENFANCE Jouer dans les serres florales du papa de mon amie Céline.
MA FRAYEUR D'ENFANT La fournaise de ces mêmes serres!

J'ai récemment retrouvé cette photo dans un livre-souvenir datant de mon cours classique.

Pierre

BRODEUR Vice-président du conseil, Sico et président du conseil, Le Commensal

Sauce bolognaise traditionnelle (couleur rouge épice n° 4073-83)
Pour 6 à 8 personnes

A

30 ml (2 c. à soupe) d'huile d'olive

1 kg (2 1/4 lb) de bœuf haché maigre

2 oignons moyens, pelés et émincés

2 gousses d'ail, pelées, dégermées et hachées finement

3 branches de céleri, émincées finement

796 ml (28 oz) de tomates broyées, en conserve

680 ml (24 oz) de sauce tomate, en conserve

30 ml (2 c. à soupe) de persil plat, haché finement

5 ml (1 c. à thé) de feuilles de thym frais

5 ml (1 c. à thé) d'origan frais, haché finement

5 ml (1 c. à thé) de sucre

5 ml (1 c. à thé) de sel de céleri

1 ml (1/4 c. à thé) de clou de girofle, moulu

2 feuilles de laurier

2 petits piments forts rouges, hachés

1 pincée de muscade fraîchement râpée

Sel et poivre du moulin

B

Dans une grande casserole à fond épais, faire chauffer l'huile à feu moyen. Ajouter le bœuf haché et faire rissoler en remuant constamment jusqu'à ce que la viande soit cuite. Ajouter l'oignon, l'ail et le céleri. Cuire environ 5 minutes, en remuant quelquefois.

Ajouter les tomates, la sauce tomate et tous les autres ingrédients. Assaisonner et bien mélanger. Porter à ébullition, puis laisser mijoter 2 heures, à feu doux et à découvert. Si la sauce devient trop épaisse, ajouter un peu de bouillon de veau ou de volaille ou, encore mieux, un verre de vin blanc.

La maison se remplit d'odeurs réconfortantes. On peut alors rester près du feu et se replonger dans *La Condition humaine*, d'André Malraux.

Lorsque la sauce est prête, faire cuire des pâtes *al dente* et napper généreusement de sauce bolognaise. Garnir de feuilles de basilic et de parmesan frais.

C

Un rouge italien pas trop corsé. Medoro, i.g.t. Marche, Umano Ronchi.

! **MA FRAYEUR D'ENFANT** Les cauchemars provoqués par une « trop talentueuse » prof d'histoire du Canada qui savait dépeindre les querelles entre Indiens et colons avec un hyperréalisme foudroyant.

Nous avions invité à dîner trois autres couples amateurs de spaghetti à la bolognaise. Chacun devait s'amener avec sa propre sauce, non pas dans l'intention de proclamer laquelle serait la meilleure, mais plutôt d'en partager la « genèse ». Certains tenaient leur recette d'un parent (toujours italien, il va de soi) ou directement de leur maman. D'autres l'avaient pigée dans un magazine et adaptée à leur goût, en modifiant l'assaisonnement ou en substituant le porc ou l'agneau au bœuf. En fait, il existe presque autant d'interprétations possibles de ce classique qu'il y a d'individus. Je vous présente ici ma version, dans un mode plus traditionnel.

À voir mon sourire, j'attendais sûrement le dessert!

BROUILLET Écrivain

Glace à l'eau de rose
Glace à la pistache et à la cardamome

Pour 4 personnes

A

LA GLACE À L'EAU DE ROSE

1 L (4 tasses) de lait

250 ml (1 tasse) de crème à 35 %

375 ml (1 1/2 tasse) de sucre

45 ml (3 c. à soupe) de miel

125 ml (1/2 tasse) de fécule de maïs

15 ml (1 c. à soupe) d'eau de rose

15 ml (1 c. à soupe) d'eau de fleur d'oranger

5 ou 6 gouttes de colorant alimentaire rouge

LA GLACE À LA PISTACHE ET À LA CARDAMOME

150 ml (2/3 tasse) de sucre

400 ml (1 2/3 tasse) de lait concentré

Une pincée de cardamome moulue

125 ml (1/2 tasse) de pistaches concassées

150 ml (2/3 tasse) de crème à 35 %

Un peu de colorant alimentaire vert

B

LA GLACE À L'EAU DE ROSE

Dans une casserole moyenne, faire chauffer 750 ml (3 tasses) de lait et la crème. Le liquide doit devenir bien chaud, mais ne doit pas bouillir. Ajouter le sucre et le miel et bien mélanger, jusqu'à dissolution du sucre.

Délayer la fécule de maïs dans le reste du lait froid. Ajouter à la préparation de crème chaude et cuire à feu doux jusqu'à épaississement. Ajouter l'eau de rose, l'eau de fleur d'oranger et le colorant. Laisser refroidir. Verser dans une sorbetière et turbiner.

Si vous n'avez pas de sorbetière, déposer la glace au congélateur. Sortir toutes les 20 minutes pour la brasser avec un fouet. Après quelques fois, la glace sera prête.

LA GLACE À LA PISTACHE ET À LA CARDAMOME

Dans une casserole moyenne à fond épais, mélanger le sucre à 80 ml (1/3 tasse) d'eau et faire chauffer à feu doux jusqu'à dissolution complète du sucre. Porter à ébullition et laisser mijoter 5 minutes. Retirer du feu et laisser refroidir. Incorporer ensuite le lait, la cardamome, les pistaches, la crème et le colorant.

Turbiner à la sorbetière. Si vous n'avez pas de sorbetière, déposer la glace au congélateur. Sortir toutes les 20 minutes pour la brasser avec un fouet. Après quelques fois, la glace sera prête.

Accord = suspense! Ces glaces se savourent seules pour le plaisir qu'elles procurent.

!

MON PLUS BEAU SOUVENIR Toute mon enfance. **MA FRAYEUR D'ENFANT** Qu'on me kidnappe! **MON HÉROÏNE FICTIVE** Schéhérazade, qui a sauvé sa vie et celle de nombreuses femmes grâce à son imagination.

La glace à l'eau de rose ? Le nom évoque pour moi la gentillesse des Libanais, leur chaleur, leur sourire, leur gourmandise... Nous avions quitté Beyrouth pour aller contempler les cèdres du Liban et notre guide nous mentionna qu'après Tripoli, nous devions impérativement nous arrêter pour déguster des glaces chez un marchand qui officiait depuis des années en bordure de la route. Des glaces, vraiment ? Mais voyons, tout le monde s'arrêtait là pour en manger, c'était une célébrité qui valait sûrement ce glacier Berthillon tant vanté par les Français ! Notre guide gara la voiture sur le bas-côté et nous attendîmes sagement notre tour dans la longue file de gourmets de tous âges. J'ai eu le temps de saliver en humant chaque parfum, mais j'ai opté pour celui de la pistache, que j'ai toujours adoré, et l'eau de rose au nom si exotique, si enchanteur. Mon cornet vert et rose fluo était si voyant que j'aurais pu traverser l'autoroute sans me faire heurter par les voitures. Pour ma part, j'utilise le colorant avec modération pour obtenir une teinte plus subtile, mais le goût est le même, étonnant et doux.

Ma première communion ! Le brassard que je porte s'est transmis de génération en génération dans la famille de ma mère.

andré

CHAGNON Président du conseil, Fondation Lucie et André Chagnon

Crème Budwig

Pour 1 personne

A

10 ml (2 c. à thé) de graines de tournesol, de sésame ou de lin, ou 6 amandes ou noisettes émondées

10 ml (2 c. à thé) de riz complet, de graines de sarrasin ou de flocons d'avoine ou d'orge

20 ml (4 c. à thé) de fromage blanc à 0 % m.g. (fromage Quark)

10 ml (2 c. à thé) d'huile de tournesol, de lin ou de germe de blé, première pression à froid

1 petite banane bien mûre ou 10 ml (2 c. à thé) de miel

Le jus d'un demi-citron

Fruits frais de la saison

B

Moudre les graines et les céréales au moulin à café. Réserver.

Dans un bol, battre le fromage blanc et l'huile à l'aide d'une fourchette jusqu'à consistance homogène.

Peler la banane, l'écraser à l'aide d'une fourchette et l'ajouter au mélange de fromage blanc.

Incorporer le jus de citron et bien mélanger. Rincer rapidement les fruits sous l'eau froide et les déposer sur du papier absorbant. S'ils sont trop gros, couper en petits dés avant de les ajouter à la crème Budwig. Bon petit-déjeuner !

NOTE

Si vous préparez la crème Budwig pour plusieurs personnes, vous pouvez utiliser un mélangeur électrique.

C

Une bonne tasse de café, un kalossi des Célèbes ou un sigri de Nouvelle-Guinée.

! **MON PLUS BEAU SOUVENIR D'ENFANCE** Les voyages avec mes parents et ma grand-mère aux États-Unis. **MA FRAYEUR D'ENFANT** L'huile de foie de morue !

J'ai toujours eu une réelle préoccupation pour la santé et l'activité physique. Grâce au Dr Kousmine de la Clinique Buchinger, j'ai découvert ce petit-déjeuner sain et savoureux. Ne boudez pas la crème Budwig ! Elle vous offre tous les nutriments essentiels pour vous énergiser avec, en prime, un goût riche et velouté.

Les babas, en principe, sont plutôt petits et on n'en fait qu'une bouchée (du moins, en ce qui me concerne). Ce baba-ci est ÉNORME et confère à l'expression « en rester baba » tout son sens. Il m'a tout de suite plu. Que voulez-vous, j'avais à peine six ou sept ans lorsque j'ai perdu le sens des proportions. Depuis, mon dada en popote est de « beurrer épais ». Mon mégababa rendra donc bouche bée tout fana de baba. Voilà, j'ai fait ma B.A.

Ma mine réjouie est d'une éloquence! C'était 15 minutes avant d'aller manger les prodigieux gnocchis de notre voisine, Mme Iacurto.

CHICOINE Pédiatre, Hôpital Sainte-Justine, auteur et communicateur

Baba au rhum, format familial

Pour 8 gourmands

A

LA PÂTE

- 2 jaunes d'œufs
- 125 ml (1/2 tasse) de sucre
- 80 ml (1/3 tasse) de beurre fondu et tiède
- 375 ml (1 1/2 tasse) de farine
- 10 ml (2 c. à thé) de levure chimique
- 60 ml (1/4 tasse) de lait
- 2 blancs d'œufs, à la température ambiante

LE SIROP

- 175 ml (3/4 tasse) d'eau froide
- 175 ml (3/4 tasse) de jus d'orange
- 250 ml (1 tasse) de sucre
- Le zeste d'une orange
- 250 ml (1 tasse) de rhum brun

B

LA PÂTE

Dans un bol, battre légèrement les jaunes d'œufs. Ajouter le sucre et battre jusqu'à l'obtention d'une crème mousseuse et légère. Ajouter le beurre. Réserver.

Dans un autre bol, mélanger la farine et la levure. Incorporer les ingrédients secs aux ingrédients liquides. Ajouter juste ce qu'il faut de lait pour que la pâte se détache de la spatule – environ 60 ml (1/4 tasse) – et bien mélanger.

Battre les blancs d'œufs en neige. À l'aide d'une marise (spatule de caoutchouc), incorporer délicatement à la pâte.

Beurrer et enfariner un moule à cheminée de 2,5 L (10 tasses) et y verser la pâte. Cuire de 20 à 25 minutes au four préchauffé à 190 °C (375 °F).

LE SIROP

Dans une petite casserole, porter à ébullition l'eau, le jus, le sucre et le zeste. Laisser infuser 15 minutes, puis filtrer. Ajouter le rhum et bien mélanger.

LA FINITION ET LA PRÉSENTATION

Retirer le baba du four et laisser refroidir environ 10 minutes. Délicatement, renverser le baba sur une assiette de service. Pendant qu'il est encore chaud, faire des petits trous sur le dessus avec une broche et y verser le sirop. Récupérer le sirop dans l'assiette, puis le verser à nouveau sur le baba. Répéter cette opération jusqu'à ce que le baba soit imbibé du sirop presque complètement.

Au moment de servir, si désiré, remplir le centre du baba de crème Chantilly, à laquelle on aura ajouté des cerises ou des tranches de clémentine. Pour plus d'effet, accompagner le gâteau d'une bouteille de rhum, afin que les invités puissent arroser leur baba à leur guise.

C

Un vin blanc intense et parfumé. Muscat de Rivesaltes, Domaine Cazes.

!

MA FRAYEUR D'ENFANT *Pierre et le Loup* de Sergei Prokofiev! **MON HÉROS FICTIF ÉTANT PETIT** Tasmanian Devil. **MON PASSE-TEMPS** La vie. **MON RÊVE DE BONHEUR** Le présent.

C'est simple, c'est carrément mon plus grand succès. On me réclame ce plat régulièrement et, pour satisfaire à la demande populaire, je dois en cuisiner au moins trois à la fois afin d'être certaine de ne pas en manquer. La fureur, quoi. Au *hit-parade* de mes mets préférés et de mes vices culinaires ? Poutine, sushis, pâté chinois et macaroni.

Cette photo me rappelle les centaines de spectacles que j'ai donnés chez moi.
En plus, si j'avais la chance de m'exécuter devant de la visite, c'était le bonheur!

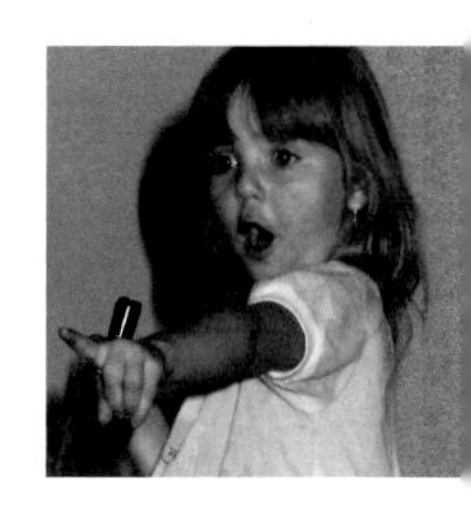

CLOUTIER Animatrice, comédienne, mère et amoureuse

Tourte au poulet

Pour 6 personnes

A

LA SAUCE AU POULET ET AUX LÉGUMES

30 ml (2 c. à soupe) d'huile d'olive

675 g (1 1/2 lb) de poitrines de poulet désossées, sans peau et sans gras, coupées en cubes de 2,5 cm (1 po)

2 gousses d'ail, pelées et hachées finement

1 blanc de poireau, coupé en dés

250 ml (1 tasse) de petits champignons coupés en deux

125 ml (1/2 tasse) de beurre non salé

125 ml (1/2 tasse) de farine

125 ml (1/2 tasse) de vin blanc sec

250 ml (1 tasse) de crème champêtre à 15 %

750 ml (3 tasses) de bouillon de poulet

2 pommes de terre, pelées et coupées en dés

250 ml (1 tasse) de haricots verts, coupés en morceaux de 2,5 cm (1 po)

18 oignons perlés blancs, pelés

Sel et poivre du moulin

LA PÂTE

200 g (7 oz) de pâte feuilletée (maison ou du commerce)

1 jaune d'œuf

30 ml (2 c. à soupe) de crème champêtre à 15 %

B

LA SAUCE AU POULET ET AUX LÉGUMES

Dans une grande poêle, faire chauffer l'huile à feu moyen-élevé. Ajouter le poulet et cuire jusqu'à ce qu'il soit doré, en brassant. Assaisonner, ajouter l'ail, le poireau, les champignons et poursuivre la cuisson 5 minutes. Retirer de la poêle et réserver.

Ajouter le beurre dans la poêle et faire fondre à feu moyen. Ajouter la farine et cuire, en brassant constamment, de 2 à 3 minutes ou jusqu'à consistance homogène. Verser le vin blanc, ajouter la crème et le bouillon. À l'aide d'un fouet, bien mélanger jusqu'à l'obtention d'une sauce crémeuse et épaisse. Assaisonner et incorporer la préparation au poulet. Mélanger et réserver.

Dans une casserole moyenne, cuire les pommes de terre 3 minutes à l'eau salée. Ajouter les haricots et les oignons, et poursuivre la cuisson 3 minutes. Égoutter et ajouter à la sauce au poulet. Vérifier l'assaisonnement et mélanger délicatement. Verser la sauce au poulet et aux légumes dans un grand plat de 2 L (8 tasses) allant au four.

LA PÂTE

Abaisser la pâte et la déposer sur le plat pour recouvrir le tout. Bien presser sur le contour afin de bien sceller. Mélanger l'œuf et la crème à la fourchette et badigeonner la pâte.

Cuire de 30 à 35 minutes, au four préchauffé à 200 °C (400 °F). Si nécessaire, couvrir la tourte d'un papier d'aluminium pour éviter que la pâte ne soit trop cuite. Laisser reposer 5 minutes avant de servir.

C

Un chardonnay du Nouveau Monde. Chardonnay Penfolds, Koonunga Hill.

!

MON PLUS BEAU SOUVENIR D'ENFANCE Mes Noëls d'enfant : la famille, les cadeaux, la bonne bouffe, la musique... **CE QUE JE DÉTESTE PAR-DESSUS TOUT** Les prétentieux, les hypocrites et le foie de veau.

Les voisins à qui j'avais loué mon chalet m'avaient reçu avec ces tortillas. J'en ai fait mon *snack* de « 5 à 7 » toute saison, que ce soit pour l'après-ski, l'après-traîne sauvage, l'après-jardinage, l'après-farniente au bord de la piscine, l'après-ramassage de feuilles d'automne ou l'après-rien du tout!

Déjà à quatre ans, j'arborais mon sourire de Kid Kodak !

COALLIER Comédien et animateur

Les tortillas de chèvre chaud de M.A.C.

Pour 4 amis et amies

A

4 tortillas de blé de 15 cm (6 po) de diamètre

250 ml (1 tasse) de fromage de chèvre frais (le Tournevent est excellent)

3 tomates italiennes, épépinées et coupées en dés

Herbes fraîches au choix, hachées grossièrement (le mien : basilic, basilic, basilic... mais on peut opter pour la coriandre)

Un peu d'huile d'olive

Sel et poivre du moulin

B

Tartiner les tortillas de fromage de chèvre. Garnir ensuite la moitié des tortillas de tomates et ajouter son herbe fraîche préférée. Assaisonner. Plier les tortillas en deux, puis les couper en deux pour obtenir des quartiers.

Dans une grande poêle, faire chauffer l'huile d'olive à feu moyen-élevé. Déposer les tortillas et faire dorer de 2 à 3 minutes de chaque côté. Le fromage doit fondre légèrement. Servir immédiatement.

C

Un blanc sec et vif du nord de l'Italie ou un joyeux sauvignon blanc. Pinot grigio Benefizium Porer, Alto Adige, Alois Lageder.

!

MA FRAYEUR D'ENFANT Je faisais souvent le même cauchemar : je me retrouvais coincé dans un aquarium (c'était arrivé à l'équipage d'*Escadrille sous-marine* dans un épisode qui m'avait épouvanté).
MON PERSONNAGE PRÉFÉRÉ ÉTANT PETIT Joe 90.

J'ai toujours été une petite fille sage.

COUSTURE Écrivain

Mon colombo de poulet

Pour 6 personnes

A

45 ml (3 c. à soupe) d'huile de tournesol ou de canola

2 oignons moyens, pelés et hachés grossièrement

6 demi-poitrines ou cuisses de poulet, désossées et sans la peau

250 ml (1 tasse) de bouillon de poulet ou d'eau

1 gousse d'ail, pelée et hachée grossièrement

1 piment oiseau

30 ml (2 c. à soupe) de poudre de *colombo* ou de cari

1 bâton de cannelle

45 ml (3 c. à soupe) de noix de coco râpée

2 courgettes coupées en rondelles de 1 cm (1/2 po) d'épaisseur

2 bananes pelées et coupées en rondelles de 1 cm (1/2 po) d'épaisseur

250 ml (1 tasse) de lait de coco

30 ml (2 c. à soupe) de persil plat, haché

Sel et poivre du moulin

LE MOT À LA BOUCHE

La *poudre de colombo* est un mélange d'épices dont le goût s'apparente à celui du cari. Couramment utilisée dans la cuisine des Caraïbes, elle contient, entre autres, du curcuma, de la coriandre, du piment et du cumin.

B

Dans une cocotte ou une poêle assez profonde, faire chauffer l'huile, à feu élevé. Faire revenir les oignons 5 minutes. Réduire à feu moyen, assaisonner le poulet et le saisir de 4 à 5 minutes.

Mouiller avec le bouillon. Ajouter l'ail et le piment sans le briser. Ajouter le *colombo*, le bâton de cannelle et la noix de coco. Bien mélanger et cuire environ 30 minutes à feu doux et à couvert.

Ajouter les courgettes et les bananes. Poursuivre la cuisson 15 minutes. Retirer le piment oiseau, ajouter le lait de coco et le persil. Servir accompagné de légumes verts.

C

Un riche et parfumé vin d'Alsace. Gewurztraminer ou Pinot gris Steinert, Cave de Pfaffenheim.

MON PLUS BEAU SOUVENIR D'ENFANCE Mon enfance est un souvenir vif, rempli d'odeurs et de couleurs, et encore si présente que je me demande ce que je fais dans un corps aussi grand.
MA FRAYEUR D'ENFANT Mourir étouffée par un grain de maïs.

J'ai découvert les joies du *colombo* de poulet ou d'agneau en Martinique. Chaque année, ou presque, nous faisons une fête « Black et Blanc » dans le jardin. Tous nos amis qui marient leur couleur soleil à notre teint blanc neige y sont invités. Chacun apporte un plat et nous dressons un buffet exotique extraordinaire. Je prépare le *colombo*. Dans l'album de famille, nous avons maintenant une petite nièce, Kiana, dont Gauguin aurait raffolé, et Thomas, petit Parisien né au Cap-Vert, de qui nous sommes « le tonton et la tata d'Amérique ».

La mère de mon épouse, ainsi que la mienne, étaient de merveilleuses cuisinières. Viviane, mon épouse, confectionne des plats d'une créativité exceptionnelle. Ils ont charmé le palais de nos invités en provenance des cinq continents depuis déjà... quelques décennies ! Nos deux fils ont hérité de son talent. Moi ? Je ne sais pas cuisiner. Mais quel goûteur je suis ! Histoire de vous conter fleurette (et de vous y faire goûter), je vous propose ces pâtes aux boutons d'hémérocalle. Elles font partie de mes plats estivaux préférés et des découvertes que j'ai faites bien tardivement : entre autres, que l'on pouvait manger des fleurs en entrée, au plat principal, au fromage et au dessert !

Me voici dans *Le Misanthrope* de Molière. Mon premier grand succès public ! Tous les rôles, même féminins, étaient interprétés par les gars de ma classe. Moi, je jouais Alceste.

DEMERS Concepteur des « Contes pour tous » et producteur, président-directeur général, Productions La Fête

Pâtes aux boutons de fleurs d'hémérocalle et aux champignons

Pour 4 personnes

A

454 g (1 lb) de fettucines

225 g (1/2 lb) de pleurotes

250 ml (1 tasse) de boutons d'hémérocalle (encore verts), d'environ 4,5 cm (1 3/4 po) de longueur

30 ml (2 c. à soupe) de beurre

30 ml (2 c. à soupe) d'huile d'olive

2 échalotes grises, pelées et émincées finement

2,5 ml (1/2 c. à thé) de marjolaine fraîche, ciselée

15 ml (1 c. à soupe) de persil plat, ciselé

Quelques petits croûtons

Un peu de fromage parmesan, râpé

1 ou 2 fleurs d'hémérocalle (facultatif)

Sel et poivre du moulin

LE MOT À LA BOUCHE

Le nom *hémérocalle* vient des mots grecs *hemera* (jour) et *kallas* (beauté). Chaque fleur ne vit qu'une journée, mais la floraison de la hampe peut durer des semaines. La saveur des pousses printanières se compare à celle des oignons, les boutons sont légèrement sucrés et les racines goûtent un peu le radis.

B

Dans une grande casserole, porter de l'eau à ébullition et faire cuire les pâtes pendant la préparation des légumes.

Nettoyer les pleurotes à l'aide de papier absorbant légèrement humide. Ne pas les rincer. Trancher en gros morceaux et réserver. Rincer et assécher les boutons d'hémérocalle. Réserver.

Dans une grande poêle, faire chauffer le beurre et l'huile à feu moyen. Faire sauter les échalotes 1 minute. Tout en remuant, ajouter les pleurotes et cuire de 1 à 2 minutes. Ajouter les boutons d'hémérocalle et poursuivre la cuisson de 2 à 3 minutes, en remuant constamment.

Ajouter la marjolaine et le persil, et assaisonner. Couvrir et poursuivre la cuisson à feu très doux, environ 5 minutes.

Bien égoutter les pâtes cuites et verser dans la poêle. Bien mélanger et ajouter un filet d'huile d'olive. Garnir de croûtons et décorer d'une ou deux belles fleurs d'hémérocalle.

C

Un vin blanc noble de Soave en Italie. Soave Capitel Foscarino, Anselmi.

!

MON PLUS BEAU SOUVENIR D'ENFANCE La pêche avec mon père et mes frères. **MES CONTES PRÉFÉRÉS ÉTANT PETIT** *Le Petit Poucet*, raconté par mon père, et celui de *Geneviève de Brabant*, raconté par ma mère.

Œuf battu : 1 à 0

J'étais très embarrassé de me faire prendre en photo à ma première communion. Je venais de me tirailler avec mon frère et j'avais le visage couvert de grafignes. J'espérais que Jésus me comprenne...

Marc
DÉRY Auteur-compositeur et interprète

Sandwich à la crème glacée
Donne 24 biscuits

A

LES BISCUITS TROIS COULEURS

500 ml (2 tasses) de farine

5 ml (1 c. à thé) de levure chimique

1 pincée de sel

175 ml (3/4 tasse) de beurre

175 ml (3/4 tasse) de sucre

1 œuf

5 ml (1 c. à thé) d'extrait de vanille pur

30 ml (2 c. à soupe) de cacao

Quelques gouttes de colorant alimentaire rouge

1 blanc d'œuf, légèrement battu

LE SANDWICH

2 biscuits trois couleurs

80 ml (1/3 tasse) de glace à la vanille ou au goût

B

LES BISCUITS TROIS COULEURS

Dans un petit bol, mélanger la farine, la levure chimique et le sel. Dans un grand bol, à l'aide d'un batteur électrique, battre le beurre et le sucre jusqu'à consistance homogène. Ajouter l'œuf et la vanille et bien mélanger. Incorporer les ingrédients secs.

Diviser la pâte en trois parties. Dans la première partie, ajouter le cacao et bien mélanger. Dans la deuxième partie, ajouter un peu de colorant alimentaire pour obtenir une teinte rose et bien mélanger. Garder la troisième partie telle quelle.

Déposer la pâte au cacao sur une surface enfarinée et la façonner pour qu'elle mesure environ 18 cm x 10 cm (7 po x 4 po). Répéter cette étape pour les deux autres pâtes. Superposer les trois pâtes en prenant soin de badigeonner de blanc d'œuf entre chaque étage. Recouvrir le tout de papier film et réfrigérer de 3 à 4 heures.

Couper ensuite en tranches d'environ 0,5 cm (1/4 po) d'épaisseur. Déposer les biscuits sur une plaque antiadhésive ou recouverte d'un papier parchemin en prenant soin de laisser 2,5 cm (1 po) entre chacun. Cuire de 8 à 10 minutes au four préchauffé à 190 °C (375 °F). Laisser refroidir sur une grille.

LE SANDWICH

Déposer un biscuit à l'envers, puis y disposer huit petites boules de glace à la vanille. À défaut de petite cuillère à glace, déposer la glace légèrement ramollie et égaliser à l'aide d'une spatule de métal. Recouvrir d'un autre biscuit et presser légèrement. Déposer au congélateur environ 15 minutes puis servir.

C

Une grande inspiration et trois *push-ups*.

! **MON PLUS BEAU SOUVENIR D'ENFANCE** Lorsque j'ai reçu ma première guitare à la Noël de mes quatre ans. **MON HÉROS DANS LA VIE** Jésus. **MON HÉROS FICTIF** Jésus.

J'adore tout ce qui est glacé. Mr. Freeze, crèmes glacées, slushes, sorbets, fudgicles, popsicles... miam ! Je peux en manger dix par jour. Mon sandwich est particulièrement hot. Vous pouvez le préparer avec vos biscuits préférés (les plus gros possible) ou, encore, le savourer en technicolor avec cette recette de biscuits napolitains trois couleurs. Re-miam.

Pour ma première photo officielle de maternelle, mon frère Paul avait eu le «toupet» de me couper les cheveux...

Céline DION Mère de famille, épouse et chanteuse

Soupe glacée à la tomate, en trois mouvements

Pour 4 personnes

A

4 tomates rouges en grappe

4 tomates jaunes en grappe

4 tomates orange en grappe

60 ml (1/4 tasse) d'huile d'olive première pression

45 ml (3 c. à soupe) de verjus ou de vinaigre de riz

4 grandes feuilles de basilic frais

4 tiges de ciboulette fraîche

1 gousse d'ail, pelée et hachée

1 échalote grise, pelée et hachée

Fleur de sel

Poivre du moulin

LE MOT À LA BOUCHE

Le *verjus*, qui entre dans la composition de cette recette et qu'on trouve dans les épiceries spécialisées, est un suc acide de raisin vert, généralement utilisé comme ingrédient de sauce, condiment ou élément de déglaçage.

B

Au mélangeur électrique, réduire en une purée lisse et homogène les tomates rouges, le basilic, un peu de fleur de sel, le poivre, 15 ml (1 c. à soupe) de verjus et 20 ml (4 c. à thé) d'huile d'olive. Passer au tamis fin et réserver au frais.

Répéter les mêmes opérations pour les tomates jaunes, en remplaçant le basilic par l'échalote.

Répéter les mêmes opérations pour les tomates orange en remplaçant le basilic par la ciboulette.

Servir bien froid dans des petits verres à porto ou à *shooter*. Chacune de ces soupes se distingue par sa belle coloration et par son propre parfum. Garnir chaque verre d'une herbe aromatique au choix : basilic pourpre, ciboulette, thym citronné, etc.

C

Ajoutez une teinte de rose ! Champagne brut rosé, Laurent Perrier.

! **MON PLUS BEAU SOUVENIR D'ENFANCE** Au souper, on finissait toujours par faire de la musique en tapant sur les pots de marinade avec des cuillères. **MES PERSONNAGES PRÉFÉRÉS ÉTANT PETITE** Fanfreluche et Heidi.

À l'occasion d'un brunch réunissant des amis très proches, notre chef Olivier a réalisé ce cocktail de soupes légères et agréables. Toute leur fantaisie réside dans le fait qu'elles se présentent dans des petits verres et qu'elles se boivent. Elles nourrissent l'atmosphère de touches de couleurs lumineuses et fraîches comme les beaux jours d'été!

J'étais au restaurant D'Amichi à Ville Lasalle en compagnie de quelques amis, et notre chef Richard Whittick nous décrivait chacun de ses plats, dont celui que je vous présente, comme s'il relatait des aventures amoureuses. Nous l'écoutions, bien sûr, bouche bée et les oreilles grand ouvertes. Escalope de veau… sauce à l'Amaretto et pistaches… oignon vert émincé… demi-glace et réduction de vinaigre balmasique… Je ne vous en dis pas plus, mais si vous arrivez à lire entre les lignes (c'est-à-dire là où y'a des petits points), c'est particulièrement cochon.

Ma toute première photo d'artiste, croquée par un «grand» photographe. Je me sentais importante!

DION Humoriste

Escalope de veau, sauce à l'Amaretto et aux pistaches

Pour 4 personnes

175 ml (3/4 tasse) de vinaigre balsamique

8 escalopes de veau d'environ 90 g (3 oz) chacune

Un peu de farine

30 ml (2 c. à soupe) d'huile d'olive

125 ml (1/2 tasse) de pistaches concassées

3 oignons verts, émincés

Un peu de beurre

80 ml (1/3 tasse) d'Amaretto

250 ml (1 tasse) de sauce demi-glace (maison ou du commerce)

Sel et poivre noir concassé

B

Dans une petite casserole, à découvert, porter le vinaigre balsamique à ébullition. Faire réduire, à feu moyen, afin d'obtenir environ 30 ml (2 c. à soupe). Réserver.

Saler et poivrer les escalopes de veau et les enfariner. Dans une grande poêle, faire chauffer l'huile d'olive, à feu élevé. Saisir les escalopes de veau 1 minute, de chaque côté. Retirer les escalopes et les réserver au chaud.

Ajouter les pistaches, les oignons verts (si nécessaire, ajouter un peu de beurre) et faire revenir 2 minutes. Déglacer à l'Amaretto et faire flamber. Ajouter la demi-glace et faire réduire 2 minutes, à feu élevé.

Ajouter la réduction de vinaigre balsamique et bien mélanger. Replacer les escalopes dans la sauce, bien les enrober, puis laisser réchauffer 2 minutes. Servir aussitôt, accompagné de légumes de saison.

Buon appetito !

Un vin rouge de l'Italie, généreux et souple.
Primitivo del Tarantino, I Monili.

! **MON PERSONNAGE PRÉFÉRÉ ÉTANT PETITE** Paillasson. **MES HÉROS FICTIFS** Olive et Popeye.
MON HÉROÏNE DANS LA VIE Ma mère, Armande Martel.

Michèle

DIONNE Orthopédagogue

Magret de canard teriyaki

Pour 6 personnes

A

- 30 ml (2 c. à soupe) de saké
- 45 ml (3 c. à soupe) de miel
- 60 ml (1/4 tasse) de sauce soya
- 60 ml (1/4 tasse) de mirin
- 10 ml (2 c. à thé) de gingembre frais, râpé
- 2 magrets de canard de Barbarie
- Poivre du moulin

B

Dans une petite casserole, mélanger le saké, le miel, la sauce soya, le mirin et le gingembre. Chauffer à feu moyen jusqu'à consistance homogène. Retirer du feu, transférer dans une assiette creuse (ou une assiette à tarte), puis laisser refroidir environ 15 minutes. Déposer les magrets, côté chair, dans la sauce *teriyaki*. Couvrir et laisser mariner environ 2 heures au réfrigérateur.

Retirer ensuite le canard de la marinade puis, à l'aide d'un couteau, quadriller le côté gras des magrets. Poivrer les deux côtés et déposer ensuite les magrets, côté chair, dans une poêle allant au four. Placer la poêle à environ 25 cm (10 po) de l'élément du haut et cuire sous le gril environ 8 minutes.

Sortir la poêle du four, puis jeter le gras de la poêle. Retourner les magrets et remettre au four sous le gril. Poursuivre la cuisson environ 5 minutes. Retirer les magrets et les déposer dans une assiette. Recouvrir de papier d'aluminium et laisser reposer de 7 à 8 minutes avant de trancher.

Accompagner de carottes, rabioles et *bok choy*, ou de légumes au choix.

LE MOT À LA BOUCHE

Vendu dans les épiceries asiatiques, le *mirin* est un vin de riz japonais au goût sucré. On le combine à de la sauce soya, du sucre et du saké pour obtenir des sauces brunes et des bouillons.

Le *bok choy* est un plante potagère à larges feuilles déployées en éventail, au goût de chou doux et de bette à carde. La *rabiole* est un petit navet blanc particulièrement diététique, au goût agréable et légèrement sucré.

C

Un pinot blanc sec. Pinot blanc, Mission Hill, Okanagan.

! **MON PLUS BEAU SOUVENIR D'ENFANCE** Faire des crêpes avec mon grand-père. **MA FRAYEUR D'ENFANT** Parler en public. **MES PERSONNAGES PRÉFÉRÉS ÉTANT PETITE** Sol et le Petit Prince.

Voici le premier plat d'amoureux que mon mari Jean Charest et moi avions préparé ensemble. Espérons qu'il ait autant d'effet sur vous !

Je ne vous cacherai pas qu'il m'a été difficile de choisir une recette. Il y en a tant à découvrir, à préparer, à déguster, à faire partager. On m'a demandé un plat de mon enfance, un souvenir de «jeune mousse». J'ai donc opté pour cette recette de famille que ma grand-mère maternelle, Laurence, faisait à chaque Noël. Je revois encore la mousse sur la table à dessert, dans un bol, toujours le même, en verre taillé. Ma mère a repris la tradition pour le plus grand plaisir de toute la famille. Je vous l'offre à mon tour.

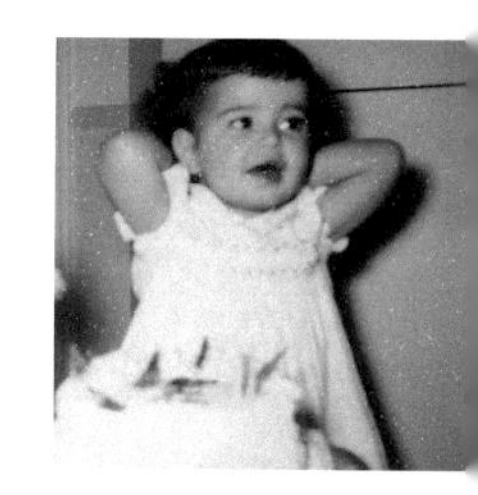

di STASIO Animatrice

Mousse au riz cappuccino

Pour 10 personnes (petites ou grandes)

A

- 325 ml (1 1/3 tasse) d'eau
- 250 ml (1 tasse) de lait
- 150 ml (2/3 tasse) de riz à grains longs
- 125 ml (1/2 tasse) de sucre
- 5 ml (1 c. à thé) de sel
- 2,5 ml (1/2 c. à thé) d'extrait de vanille pur
- 250 ml (1 tasse) de café très fort
- 2 tasses de mini guimauves bien tassées (très *in* à l'époque) ou 16 grosses guimauves, coupées en morceaux aux ciseaux
- 500 ml (2 tasses) de crème à 35 %

B

Verser l'eau, le lait, le riz, le sucre, le sel et l'extrait de vanille dans une casserole de grosseur moyenne. Porter à ébullition en brassant constamment à la cuillère. Réduire le feu, couvrir et laisser mijoter doucement environ 30 minutes, ou jusqu'à ce que le riz soit tendre et qu'il ne reste presque plus de liquide.

Ajouter le café chaud et les guimauves à la préparation de riz et mélanger jusqu'à ce que les guimauves soient fondues. Réserver dans un bol et laisser refroidir.

Fouetter la crème et l'incorporer délicatement à la préparation de riz.

Servir dans un bol en verre, en coupes individuelles ou encore dans des tasses à *espresso*.

C

Un vin rouge fortifié. Le Carlo Pellegrino fine ruby marsala.

! **MON PERSONNAGE PRÉFÉRÉ ÉTANT PETITE** Fanfreluche. **MON PLAT PRÉFÉRÉ** À quelle heure? **MON VICE CULINAIRE** J'en ai plus d'un. Les voulez-vous par ordre alphabétique?

Le dimanche après la messe, ma mère jouait du piano, mon père servait à tous un petit verre de xérès, et moi, j'allais écornifler à la cuisine, où ma grand-mère nous concoctait des merveilles. C'est ainsi que j'ai associé l'art musical à la gastronomie.

DOMPIERRE Compositeur

Jarret d'agneau braisé lentement

Pour 4 personnes

A

- 30 ml (2 c. à soupe) d'huile d'olive
- 4 jarrets d'agneau
- 3 branches de thym frais
- 1 branche de romarin
- 3 branches de persil plat
- 1 oignon pelé et émincé
- 1 bulbe d'ail, pelé et en gousses
- 2 ou 3 carottes pelées et coupées en rondelles d'environ 1,5 cm (3/4 po)
- 1 branche de céleri, émincée
- 1 poireau émincé
- Quelques champignons de Paris
- Rutabaga et panais pelés et coupés en cubes (au goût)
- 250 ml (1 tasse) de fond brun d'agneau ou de veau
- Sel et poivre du moulin
- Sel de Guérande

B

Badigeonner d'huile le fond d'une grande rôtissoire ou d'une lèchefrite et y déposer les jarrets d'agneau préalablement assaisonnés. Cuire 1 heure et demie au four préchauffé à 120 °C (250 °F). Retourner les jarrets, ajouter les herbes fraîches, l'oignon et l'ail, et poursuivre la cuisson 1 heure et demie en arrosant de jus de cuisson.

Déposer les carottes, le céleri, le poireau et les autres légumes tout autour des jarrets. Verser le fond d'agneau. Poursuivre la cuisson pendant 1 heure en arrosant de jus de cuisson et en retournant les jarrets à l'occasion. Sortir du four et saupoudrer les jarrets de sel de Guérande.

Servir dans des assiettes creuses et, si désiré, accompagner de lentilles vertes du Puy au beurre. Décorer avec une branche de thym et de romarin.

Vous verrez, c'est du vrai bonbon!

C

Dirigez votre choix vers un généreux vin du Rhône. Cornas, Eric & Joël Durand.

! **MON PLUS BEAU SOUVENIR D'ENFANCE** Un concert de la chorale dans laquelle mes parents chantaient (le chœur Palestrina). **MON PERSONNAGE PRÉFÉRÉ ÉTANT PETIT** Peter Pan. **MON HÉROS FICTIF** Le capitaine Haddock.

Ce morceau que nous dédaignions jadis à cause de son prétendu manque de noblesse fait maintenant partie de la table de tous les bistrots dignes de ce nom. De rustique qu'il était, il est devenu joliment coquin et vachement tendance. Il y a plusieurs manières de l'apprêter. Celle que je préfère est la simplicité même et consiste à le faire braiser très longuement au four, en l'arrosant à l'occasion. Il ne vous restera plus qu'à le servir avec les légumes qui ont accompagné sa lente cuisson.

Un soir, j'ai servi ce gâteau à Marc-André et à Richard, un de nos amis. Ce dernier a tout simplement craqué pour ce dessert *chocolatissimo*! Chaque fois que nous l'avons réinvité, il m'a supplié de le refaire. Mais voilà: j'avais égaré la recette. Quelle ne fut pas ma surprise de retrouver, il y a quelque temps, le précieux petit bout de papier griffonné qui a tant fait saliver notre ami. Aujourd'hui, grâce à ce livre difficilement «égarable», mon chef-d'œuvre passe enfin à la postérité. J'en profite pour le dédier à Richard qui me jure qu'il s'agit là d'un dessert très Montignac. Avis aux intéressés.

Ma première visite à Montréal : une visite à l'Expo 67. Un des plus beaux souvenirs de mon enfance !

DORVAL Comédienne

Gâteau au chocolat sans farine

Pour 6 personnes

A

- 6 jaunes d'œufs
- 210 ml (2/3 tasse + 1/4 tasse) de sucre
- 150 g (5 oz) de chocolat mi-amer
- 125 ml (1/2 tasse) de beurre
- 60 ml (1/4 tasse) de cacao non sucré
- 6 blancs d'œufs

B

Dans un bol moyen, fouetter les jaunes d'œufs et 150 ml (2/3 tasse) de sucre jusqu'à ce que le mélange blanchisse. Faire fondre le chocolat et le beurre au bain-marie à feu moyen, en prenant soin de ne pas faire bouillir l'eau (le chocolat n'aime pas les températures trop élevées).

Ajouter le chocolat fondu aux jaunes blanchis. Ajouter le cacao et bien mélanger, sans battre. Réserver.

Monter les blancs d'œufs en neige. Incorporer 60 ml (1/4 tasse) de sucre et continuer à battre légèrement. Mélanger délicatement les blancs d'œufs à la préparation au chocolat.

Verser dans un moule rond de 20 cm (8 po) de diamètre recouvert de papier parchemin. Cuire de 13 à 15 minutes au four préchauffé à 200 °C (400 °F). Le gâteau doit être croustillant sur la surface et souple au toucher. Ne pas trop faire cuire le gâteau, il restera ainsi très moelleux. Laisser refroidir. Servir avec une glace à la vanille, une crème Chantilly ou un coulis aux framboises.

C

Un vin doux naturel, de France, à base de grenache. Mas Amiel Vintage, Maury.

! **MON PLUS BEAU SOUVENIR D'ENFANCE** L'Expo 67. **MA FRAYEUR D'ENFANT** Perdre mes parents. **MES PERSONNAGES PRÉFÉRÉS ÉTANT PETITE** Tante Lucille et Madame Bec-Sec dans « Le Pirate Maboule ».

Ce petit bonheur, je l'ai souvent savouré avec des amis, tranquillement attablés sur la terrasse, appréciant la calme volupté de l'été, l'arôme du vin, la brise légère et les fumets du barbecue nous parvenant par bouffées. Comme j'ai toujours aimé partager mes coups de cœur, il était tout naturel que je vous fasse goûter à celui-ci. D'abord, la recette de roquette est tout droit sortie d'un polar d'Andrea Camilleri, célèbre auteur sicilien, créateur du personnage du commissaire Montalbano. Voilà un mystère résolu. Quant aux calmars grillés, le secret est de les assaisonner avec de la fleur de sel de Guérande, au goût exquis et au parfum de violette. À défaut d'en trouver, un bon sel de mer fin saura rehausser tout autant la saveur de ces fruits de la mer et du soleil.

Calmars grillés et roquette à la sicilienne

Pour 4 personnes

A

LES CALMARS

125 ml (1/2 tasse) d'huile d'olive

4 gousses d'ail, pelées et hachées finement

Le zeste d'un citron, haché

1 kg (2 1/4 lb) de calmars, vidés et nettoyés

60 ml (1/4 tasse) de persil plat, haché

Le jus d'un citron

Fleur de sel de Guérande ou sel marin fin

Poivre du moulin

LA ROQUETTE

2 bottes de roquette (aragula)

15 ml (1 c. à soupe) de pâte d'anchois

80 ml (1/3 tasse) d'huile d'olive extra vierge au citron ou 60 ml (1/4 tasse) d'huile d'olive et 20 ml (4 c. à thé) de jus de citron

Poivre du moulin

B

LES CALMARS

Dans un bol de grandeur moyenne, mélanger l'huile, l'ail et le zeste de citron. Ajouter les calmars et poivrer. Couvrir et faire mariner 2 heures au réfrigérateur.

Juste avant de faire cuire, ajouter le jus de citron et le persil aux calmars et bien mélanger. Déposer les calmars sur la grille préchauffée du barbecue. Faire griller les calmars environ 5 minutes, les retourner et poursuivre la cuisson encore 5 minutes. Badigeonner régulièrement de marinade. Attention, l'huile peut réserver bien des surprises : veiller à ce qu'elle ne s'enflamme pas.

Enfin, il est recommandé de saupoudrer les calmars de fleur de sel de Guérande (ou de sel de mer fin) et de poivrer au moment de les servir.

LA ROQUETTE

Laver et équeuter la roquette. Réserver. Dans un grand bol, mélanger la pâte d'anchois et l'huile d'olive au citron. Ajouter la roquette, poivrer et bien mélanger. Répartir la roquette dans quatre assiettes, puis y déposer les calmars. Servir aussitôt.

Un blanc italien ensoleillé.
Corvo Bianco, Duca Salaparuta, Sicile.

! **MA FRAYEUR D'ENFANT** Tomber au milieu du lac en faisant du ski nautique et que de gros poissons viennent me manger les orteils ! **MES PERSONNAGES PRÉFÉRÉS ÉTANT PETITE** Fanfreluche à la télé et Tante Lucille à la radio.

Il s'agit là de ma photo de fin d'études au collège des Ursulines à Québec.

DULAC Présidente, Hautes-Feuilles

Crème caramel renversée

Pour 8 personnes

A

LA CRÈME

875 ml (3 1/2 tasses) de lait entier

Le zeste râpé d'une orange

6 gros œufs

175 ml (3/4 tasse) de sucre

1 ml (1/4 c. à thé) de sel

60 ml (1/4 tasse) de curaçao (liqueur d'orange)

3 ou 4 gouttes d'extrait de vanille pur

LE CARAMEL

175 ml (3/4 tasse) de sucre

30 ml (2 c. à soupe) d'eau bouillante

B

LA CRÈME

Dans une grande casserole, faire chauffer le lait à feu moyen et porter à ébullition. Réduire à feu très doux, ajouter le zeste d'orange et laisser infuser environ 45 minutes.

À l'aide d'un fouet, battre les œufs vigoureusement. Ajouter le sucre et le sel, et continuer de battre pour faire dissoudre le sucre complètement. Incorporer le curaçao et le lait en remuant constamment.

Filtrer l'appareil dans une passoire fine au-dessus du moule. À l'aide d'une cuillère, bien presser le zeste dans la passoire, à deux ou trois reprises, de façon à en extraire tout le parfum.

LE CARAMEL

Dans une poêle ou une petite casserole à fond épais, faire fondre entièrement le sucre à feu élevé, en remuant continuellement à l'aide d'une spatule de bois. Lorsqu'il commence à mousser légèrement, verser l'eau bouillante et retirer du feu. Dès que le bouillonnement s'apaise, verser immédiatement le caramel dans un moule rond de 23 cm (9 po). Tourner ensuite le moule sur lui-même afin d'enduire les parois de caramel. Avec un peu du lait bouillant préparé précédemment, déglacer la poêle et remettre ensuite dans le reste du lait.

LA FINITION

Dans une lèchefrite, fabriquer un double bain-marie, c'est-à-dire déposer les feuilles de son journal préféré dans la lèchefrite, puis verser environ 500 ml (2 tasses) d'eau bouillante.

Placer le moule dans cette lèchefrite et déposer sur la grille au centre du four. Cuire de 45 à 50 minutes au four préchauffé à 180 °C (350 °F)*.

Sortir ensuite la crème caramel du bain-marie, puis la laisser refroidir sur une grille à la température ambiante. Réfrigérer ensuite au moins 3 heures. À l'aide d'un petit couteau, contourner l'intérieur du moule pour faciliter le démoulage. Immerger le moule 3 secondes dans une eau bouillante.

Déposer ensuite un plat de service sur la crème, renverser, puis secouer légèrement pour démouler la crème dans le plat.

*Si vous affectionnez les portions individuelles, utilisez des petits ramequins et diminuez le temps de cuisson de la recette. Cuire alors de 30 à 35 minutes.

Un bon verre de porto Tawny ou de muscat. Moscatel de Setubal, J. Maria da Fonseca.

! **MON PLUS BEAU SOUVENIR D'ENFANCE** Jouer du piano pour mon père après le repas du dimanche midi, ce qui m'évitait la « corvée de vaisselle » ! **MON CONTE PRÉFÉRÉ ÉTANT PETITE** *Cendrillon.*

Cette crème caramel «fugitive et légère comme une œuvre de circonstance» est sans conteste mon premier grand succès de «chef». Au fil des ans, elle est devenue un classique dans notre famille, un plat de réconfort qui me rappelle ces petits dimanches douillets passés ensemble. Mes enfants la préfèrent en grand format. Le coup d'œil est renversant.

Ma mère avait cousu cette robe pour ma première journée scolaire en terre québécoise.

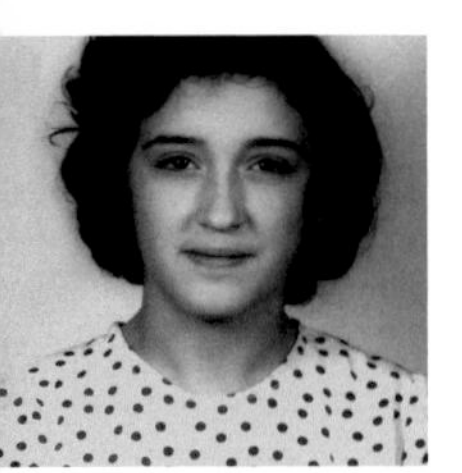

elena

VENDITTELI FAITA Commerçante, Quincaillerie Dante
Professeur de cuisine italienne, Mezza-Luna

Orecchiette e sugo bella stagione (Orecchiette et sa sauce de la belle saison)

Pour 4 à 6 personnes

A

SUGO BELLA STAGIONE

60 ml (1/4 tasse) de beurre

45 ml (3 c. à soupe) d'huile d'olive

1 gros oignon pelé et haché finement

1 petite aubergine pelée et coupée en dés

2 courgettes coupées en dés

1 branche de céleri, coupée en dés

150 g (1/3 lb) de chair à saucisse

398 ml (14 oz) de tomates en dés, en conserve

Sel et poivre du moulin

ORECCHIETTE

560 ml (2 1/4 tasse) de semoule de blé dur

250 ml à 300 ml (1 tasse à 1 1/4 tasse) d'eau

B

SUGO BELLA STAGIONE

Dans une casserole moyenne en terre cuite ou à fond épais, faire chauffer le beurre et l'huile à feu moyen. Ajouter l'oignon et faire revenir 5 minutes. Ajouter l'aubergine, les courgettes, le céleri et cuire de 3 à 4 minutes.

Tout en remuant, ajouter la chair à saucisse et cuire jusqu'à ce que la viande soit cuite et légèrement colorée. Ajouter les tomates, porter à ébullition et assaisonner. Couvrir et cuire 40 minutes à feu doux. Au besoin, ajouter un peu de bouillon de légumes.

ORECCHIETTE

Mélanger la semoule et la quantité d'eau nécessaire pour que la pâte se tienne. Façonner en une boule, couvrir d'un linge et laisser reposer 30 minutes.

Couper en huit parties et rouler chacune d'elles de façon à obtenir des rouleaux de 1 cm (1/2 po) de diamètre. Trancher ensuite en rondelles de 1 cm (1/2 po), un rouleau à la fois. Écraser chaque morceau avec le pouce, en tournant légèrement. Déposer les orecchiettes, sur une plaque légèrement recouverte de semoule de blé dur. Répéter ces opérations avec tous les rouleaux.

Dans une grande casserole d'eau bouillante salée, cuire les orecchiettes, 3 minutes. Égoutter et mélanger ensuite à la sauce et servir dans un plat de service au centre de la table.

Un rouge italien pas trop corsé. Brentino Breganze, Fausto Maculan.

MA FRAYEUR D'ENFANT Ma première (et dernière) chute à vélo à l'âge de six ans. Je n'y suis plus jamais remontée depuis ! **MON PERSONNAGE PRÉFÉRÉ ÉTANT PETITE** Pinocchio. **MON HÉROÏNE DANS LA VIE** Ma mère.

Ces pâtes furent les premières que ma sœur et moi avons appris à préparer sous la houlette de maman. Nous nous amusions à couper les longs rouleaux de pâte en petits morceaux et à les écraser avec le pouce pour en faire de « petites oreilles ». Plus tard, ma sœur et moi avons décidé de nous attaquer à nos premiers gnocchis, sans la tutelle de notre mère, cette fois. Tous les moyens furent mis en œuvre pour parfaire notre art. Résultat : nous avons parfaitement réussi à mettre la cuisine sens dessus dessous. Il y avait de l'eau, de la farine et des pommes de terre partout. Mon plus beau souvenir de petite fille !

Nous n'étions pas riches et ma mère déployait des trésors d'imagination pour satisfaire nos appétits d'ogre. Je me souviens de ses délicieux ragoûts, façon risotto, qu'elle apprêtait avec des restes de morue, car elle ne se procurait les filets que pour les grandes occasions. Aujourd'hui, c'est au tour de mes filles d'apprécier cette cuisine familiale et typique du Portugal (sauf que les filets ne sont plus exclusivement réservés aux dîners d'apparat !).

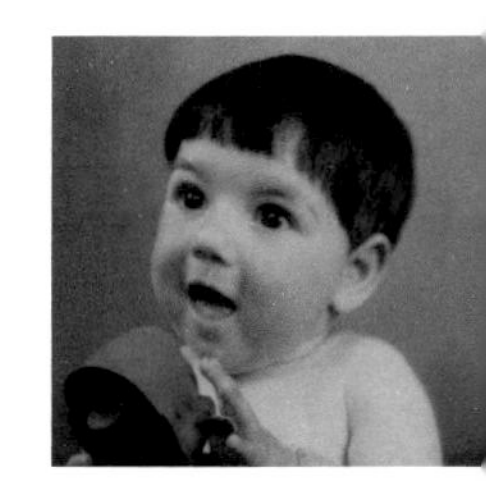

FERREIRA Propriétaire, Ferreira Café

Risotto à la morue (bacalhau) salée et sa compote d'oignons au porto

Pour 2 personnes

A

LE RISOTTO

2 tranches épaisses de morue salée

15 ml (1 c. à soupe) d'huile d'olive

1 petit oignon pelé et haché

1 gousse d'ail, pelée et hachée finement

125 ml (1/2 tasse) de vin blanc

1 feuille de laurier

500 ml (2 tasses) de fumet de poisson

175 ml (3/4 tasse) de riz *arborio*

60 ml (1/4 tasse) de persil plat, haché

Sel et poivre du moulin

LA COMPOTE

60 ml (1/4 tasse) d'huile d'olive

4 oignons rouges moyens, pelés, coupés en deux et émincés

375 ml (1 1/2 tasse) de porto Ruby

1 feuille de laurier

Sel et poivre du moulin

B

LE RISOTTO

La veille, déposer la morue dans un bol et couvrir d'eau froide. Laisser tremper 24 heures en s'assurant de changer l'eau à quatre ou cinq reprises.

Une fois dessalée, égoutter la morue et la déposer dans une casserole. Couvrir d'eau froide, porter à ébullition. Réduire le feu et laisser mijoter environ 10 minutes, à couvert, ou jusqu'à ce que la morue soit tendre. Retirer la morue de l'eau, puis la laisser refroidir légèrement. Enlever la peau et les arêtes. À l'aide d'une fourchette, émietter la chair. Réserver.

Dans une casserole moyenne, faire chauffer l'huile à feu moyen. Ajouter l'oignon, l'ail et faire revenir 2 minutes. Ajouter le vin blanc et la feuille de laurier. Laisser réduire du tiers. Ajouter le fumet de poisson et le riz, puis faire mijoter à feu moyen, à découvert, en remuant régulièrement. Cuire de 15 à 17 minutes ou jusqu'à ce que le riz soit *al dente* et crémeux. Si nécessaire, ajouter un peu de fumet et d'huile d'olive. Ajouter la morue, le persil, et mélanger. Vérifier l'assaisonnement. Servir aussitôt, accompagné de la compote d'oignons au porto.

LA COMPOTE

Dans une sauteuse ou une petite casserole, faire chauffer l'huile à feu doux. Ajouter les oignons, assaisonner et faire revenir environ 15 minutes.

Ajouter le porto et le laurier, et cuire de 1 heure et demie à 2 heures, à feu doux et à découvert, en brassant régulièrement.

C

Un blanc portugais, intense et charmeur. Bucelas, Morgado de Santa Catherina.

MON PLUS BEAU SOUVENIR D'ENFANCE Dérober les fruits du voisin et lui faire croire que le malfaiteur n'était nul autre que son deuxième voisin! **MES PERSONNAGES PRÉFÉRÉS ÉTANT PETIT** Fifi Brindacier et Skippy.

Pour voir mon frère jumeau, vous n'avez qu'à renverser la photo.
Même mes parents n'ont jamais pu dire s'il s'agissait de moi ou de l'autre!

Guy FOURNIER Auteur

Hachis au chevreau et aux épinards

Pour 4 personnes

A

60 ml (1/4 tasse) d'huile d'olive ou de tournesol

500 g à 600 g (2 à 3 sacs) d'épinards frais, équeutés et lavés

15 ml (1 c. à soupe) d'huile de noix ou de noisette

1/2 oignon jaune, émincé finement

550 g (1 1/4 lb) de chevreau (on peut aussi utiliser de l'agneau ou du bœuf haché)

3 gousses d'ail, pelées et émincées finement

2,5 ml (1/2 c. à thé) de cannelle moulue

2,5 ml (1/2 c. à thé) de muscade moulue

60 ml (1/4 tasse) de noix de pin, rôties

6 à 8 feuilles de menthe fraîche, hachées grossièrement

5 ml (1 c. à thé) de jus de citron frais

Sel et poivre du moulin

B

Dans une grande sauteuse, faire chauffer 30 ml (2 c. à soupe) d'huile d'olive à feu élevé. Faire cuire rapidement les épinards en les remuant constamment. Rajouter des épinards au fur et à mesure. Assaisonner et retirer. Réserver au chaud.

Dans la même sauteuse, ajouter le reste de l'huile d'olive et l'huile de noix, et faire blondir légèrement l'oignon à feu moyen. Ajouter la viande et la défaire avec deux fourchettes pendant la cuisson.

À mi-cuisson, ajouter l'ail, la cannelle et la muscade. Bien mélanger et continuer de cuire jusqu'à ce que la viande ait perdu sa couleur rouge. Saler et poivrer au goût, ajouter la menthe, les noix de pin et les épinards. Poursuivre la cuisson encore quelques minutes en remuant légèrement. Ajouter le jus de citron et bien mélanger.

Servir tel quel dans des assiettes chaudes, comme plat principal.

C

Un rouge qui a du corps et de la cuisse.
Bergerie de L'Hortus,
Coteaux du Languedoc.

! **MA FRAYEUR D'ENFANT** Les morts, car nous étions voisins d'un embaumeur qui exerçait son métier au vu et au su de tout le monde! **MON RÊVE DE BONHEUR** Mourir entouré de toutes les femmes que j'ai aimées.

J'ai mangé un plat qui ressemblait à celui-ci lors de mon premier voyage au Proche-Orient en 1967, après la « glorieuse » guerre des six jours. De l'Israël de cette époque, je garde des images enthousiasmantes, et de la cuisine *proche-orientale*, des parfums qui viennent encore me chatouiller les narines.

En tant qu'athlète, j'ai toujours voulu être forte comme Popeye. En tant que femme, je cherche à me maintenir en forme et en santé. Seulement, côté cuisine, je vous avoue d'emblée ne pas être « un très bon cook ». Mais n'ayez crainte : cette recette, c'est ma mère qui me l'a transmise. Elle me préparait toujours ces cannellonis avant mes compétitions.

Déjà toute jeune, je m'amusais dans l'eau.

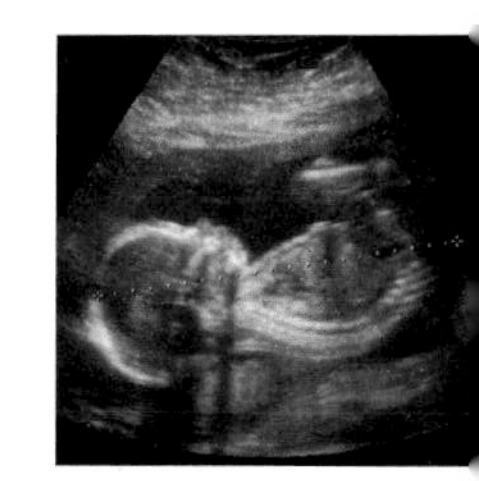

FRÉCHETTE Assistante coordonnatrice artistique pour le spectacle O, Cirque du Soleil
Médaillée d'or en nage synchronisée aux Jeux Olympiques de Barcelone 1992

Cannellonis farcis au fromage ricotta et aux épinards

Pour 6 personnes

A

LA SAUCE ROSÉE

15 ml (1 c. à soupe) d'huile d'olive

60 ml (1/4 tasse) d'oignon rouge, haché

1 gousse d'ail, pelée et hachée finement

796 ml (28 oz) de tomates concassées, en conserve

30 ml (2 c. à soupe) de concentré de tomates, en tube

375 ml (1 1/2 tasse) de crème à 15%

Sel et poivre du moulin

LES CANNELLONIS

500 ml (2 tasses) de fromage ricotta

500 ml (2 tasses) d'épinards cuits, égouttés et hachés

2 œufs

125 ml (1/2 tasse) de chapelure

15 ml (1 c. à soupe) de romarin frais, haché

12 cannellonis cuits (*al dente*) et égouttés

375 ml (1 1/2 tasse) de fromage mozzarella, râpé

Un peu de paprika

Sel et poivre du moulin

B

LA SAUCE ROSÉE

Dans une casserole moyenne, faire chauffer l'huile à feu moyen, puis faire revenir l'oignon 3 minutes. Ajouter l'ail, les tomates et le concentré. Porter à ébullition et laisser ensuite mijoter 10 minutes, à feu doux et à découvert. Réduire en purée au mélangeur électrique. Ajouter la crème et assaisonner. Réserver.

LES CANNELLONIS

Dans un bol, bien mélanger la ricotta, les épinards, les œufs et la chapelure. Ajouter le romarin et assaisonner. À l'aide d'un sac à pâtisserie sans douille (ou d'une petite cuillère), farcir les cannellonis. Disposer dans un grand plat de cuisson préalablement huilé.

Napper généreusement les cannellonis de la sauce rosée et couvrir de fromage. Saupoudrer de paprika. Cuire de 20 à 25 minutes au four préchauffé à 190 °C (375 °F). Si désiré, terminer sous le gril du four afin de gratiner davantage.

Romance italienne.
Valpolicella Classico Allegrini.

! **MON PERSONNAGE PRÉFÉRÉ ÉTANT PETITE** Flipper ! **MON HÉROS FICTIF** Flipper ! **MON RÊVE DE BONHEUR** Du soleil, des sourires, ma famille, autour d'un feu au bord du lac, en chantant…

Devinez quoi : j'aimais beaucoup le vélo.

Louis

GARNEAU Président, Louis Garneau Sports
Ex-champion canadien en cyclisme, poursuite individuelle

Tarte aux tomates

Pour 6 personnes

A

5 ou 6 grosses tomates mûres

120 g (4 oz) de pâte feuilletée du commerce

5 ml (1 c. à thé) de moutarde de Dijon

8 tranches de fromage gruyère ou emmenthal

30 ml (2 c. à soupe) d'huile d'olive extra vierge

1 gousse d'ail, pelée et hachée

Quelques feuilles de basilic frais

Quelques olives noires

Sel et poivre du moulin

B

Couper les tomates en tranches minces et saupoudrer de sel. Laisser reposer 1 heure pour les faire dégorger.

Abaisser la pâte feuilletée et foncer un moule à quiche de 23 cm (9 po). Piquer la pâte à plusieurs endroits avec une fourchette et couvrir d'un papier d'aluminium. Déposer des pois de cuisson ou des légumineuses crues afin d'éviter que la pâte ne gonfle à la cuisson. Cuire environ 10 minutes au four préchauffé à 190 °C (375 °F).

Retirer les pois de cuisson ou les légumineuses et le papier d'aluminium. Badigeonner la pâte cuite de moutarde et étendre le fromage. Disposer les tomates en les faisant chevaucher, puis assaisonner. Mélanger l'huile et l'ail et badigeonner les tomates. Parsemer de basilic et d'olives noires.

Cuire de 30 à 40 minutes au four préchauffé à 180 °C (350 °F). Servir accompagné d'une bonne salade.

C

Un rosé qui a de la vélocité.
Château de Nages,
Costières-de-Nîmes.

! **MON PLUS BEAU SOUVENIR D'ENFANCE** Ma première victoire en vélo ! **MON PERSONNAGE PRÉFÉRÉ ÉTANT PETIT** Le Petit Prince. **MON HÉROS FICTIF** Batman. **CE QUE JE DÉTESTE PAR-DESSUS TOUT** La poutine.

Ma tarte aux tomates était mon mets porte-bonheur avant les compétitions.

Je suis de lacs et de rivières

Je suis de gibier, de poissons

Je suis de roches et de poussières

Je ne suis pas des grandes moissons

Je suis de sucre et d'eau d'érable

De *Pater Noster*, de *Credo*

Je suis de dix enfants à table

Je suis de janvier sous zéro

Un jour, au Lac-Saguay, un chasseur du village était rentré avec un ours qu'il avait tué, et en distribuait la viande. Personne n'en voulait sauf ma mère, foncièrement curieuse. Elle avait alors contraint tous les enfants à y goûter. Après avoir opposé une farouche résistance, j'ai fini par obéir. J'ai franchement détesté ! Je ne vous propose donc pas de viande d'ursidés, par crainte d'une rebuffade, mais plutôt d'autres gibiers de la forêt bordant le lac du Cerf, que j'affectionne particulièrement.

Extrait de la chanson *Le plus beau voyage*
Paroles : Claude Gauthier
Musique : Claude Gauthier et Yvan Ouellette
Les Éditions Gamma

Ma première guitare reçue à la Noël de 1950. Ma mère l'avait commandée du catalogue d'Eaton's.

Claude

GAUTHIER Auteur-compositeur, interprète et comédien

Gibelet du lac du Cerf

Pour 8 à 10 personnes

A

2 poitrines de perdrix (ou de gélinotte) désossées, coupées en cubes

454 g (1 lb) de filet de porc, coupé en cubes

675 g (1 1/2 lb) d'épaule de chevreuil désossée, coupée en cubes

1 lièvre désossé, coupé en cubes

500 ml (2 tasses) de vin blanc sec

2 feuilles de laurier

2,5 ml (1/2 c. à thé) de quatre-épices

5 ml (1 c. à thé) de baies de genièvre

2 échalotes grises, pelées et hachées

2 branches de thym

2 gousses d'ail, pelées et écrasées

2 abaisses de pâte brisée, persillée de thym frais

4 pommes de terre Yukon Gold pelées, coupées en cubes

3 carottes pelées et émincées

Sel et poivre du moulin

LE MOT À LA BOUCHE

J'utilise le terme *gibelet*—qui désignait, en vieux français, un « plat d'oiseaux »—au sens large de venaison. Le *quatre-épices* est un mélange de cannelle, de muscade, de girofle et d'une quatrième épice qui varie selon le fabricant (poivre, gingembre, piment, etc.).

B

La veille, dans un grand bol, mélanger les cubes de perdrix, de porc, de chevreuil et de lièvre. Ajouter le vin blanc, le laurier, le quatre-épices, les baies de genièvre, les échalotes, le thym et l'ail. Bien mélanger. Couvrir et faire mariner 8 heures au réfrigérateur.

Le lendemain, foncer le fond d'un chaudron en fonte de 2 L (8 tasses) avec une abaisse assez épaisse. Y déposer une première couche de viande, puis couvrir de pommes de terre et de carottes. Assaisonner. Répéter l'opération une seconde fois dans le même ordre. Verser la marinade et, si nécessaire, compléter avec assez d'eau pour tout recouvrir. Assaisonner.

Déposer la seconde abaisse et sceller les bords en pressant la pâte avec les doigts. Pratiquer une ouverture au centre pour permettre à la vapeur de cuisson de s'échapper.

Cuire 40 minutes au four préchauffé à 190 °C (375 °F).

Réduire la température du four à 140 °C (275 °F) et poursuivre la cuisson 2 heures (si la pâte devient trop dorée, recouvrir le chaudron). Servir chaud, accompagné de gelée d'atocas.

C

Un rouge puissant et charnu. Shiraz Bin 128, Penfolds.

MON PLUS BEAU SOUVENIR D'ENFANCE Ma mère, hospitalisée depuis presque un an à Montréal, était rentrée à la maison à Noël pour y passer quelques heures. Étendue sur une civière et plâtrée des chevilles à la taille, elle était arrivée au Lac-Saguay par le train de marchandises. Un voyage de sept heures ! Je ne peux vous décrire le bonheur ressenti...

La coriandre s'ajoute au compte de mes péchés mignons (avec les câpres, le chocolat, le sucre et les croissants). Cette salade radieuse, légère et ultra-aromatique me rappelle l'époque où j'ai découvert la coriandre par l'entremise du *chum* de ma copine. La coriandre est restée...

Cette photo a été prise en Grèce. Je commençais à marcher et je m'étais fendu le front à bord d'un bateau. Je porte encore cette cicatrice de pirate dont je suis très fière.

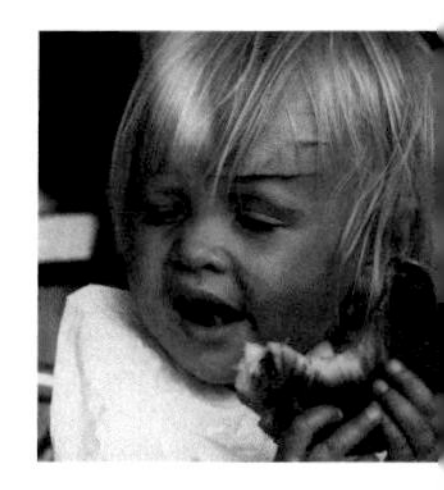

GÉLINAS Femme

Une salade qui fait sa fraîche

Pour 4 personnes

A

2 casseaux de fraises

1 mangue

60 ml (1/4 tasse) de coriandre fraîche, ciselée

Poivre du moulin

125 ml (1/2 tasse) de jus d'orange

30 ml (2 c. à soupe) de marmelade d'agrumes et gingembre

B

Rincer les fraises à l'eau froide, égoutter, équeuter et couper en petits dés. Peler la mangue, puis couper en petits dés. Mélanger les fruits, ajouter la coriandre et poivrer.

Dans un bol, mélanger le jus et la marmelade. Ajouter aux fruits, puis mélanger délicatement. Servir dans une coupe et garnir d'une belle fraise.

C

Un vin blanc, chic et parfumé. Torrontes, Cafayate, Etchart.

!

MA FRAYEUR D'ENFANT Les loups sous le lit. J'en ai toujours peur, d'ailleurs. **MON ÉMISSION PRÉFÉRÉE ÉTANT PETITE** *Minute Moumoute*! avec mon papa, Alain Gélinas. J'en étais tellement fière!

Mon enfance, je l'ai vécue à Lima, au Pérou. Et ce fut merveilleux !

Gabriel GERVAIS

Joueur professionnel de soccer, FC Impact de Montréal
Gérant de projets, Service d'ingénierie, Saputo

Chaudrée aux crevettes

Pour 6 personnes

A

1 kg (2 1/4 lb) de crevettes (grosseur 41/50)

2 L (8 tasses) d'eau

60 ml (1/4 tasse) d'huile d'olive

2 oignons pelés et émincés

Petits piments oiseaux, émincés (au goût)

30 ml (2 c. à soupe) de concentré de tomates, en tube

5 ml (1 c. à thé) d'origan frais, haché

60 ml (1/4 tasse) de riz

8 petites pommes de terre nouvelles, non pelées et tranchées

30 ml (2 c. à soupe) de beurre

1 gousse d'ail, pelée et hachée

125 ml (1/2 tasse) de petits pois verts

125 ml (1/2 tasse) de grains de maïs, frais ou surgelé

80 ml (1/3 tasse) de fromage mozzarella, râpé

250 ml (1 tasse) de lait évaporé

3 œufs légèrement battus

Sel et poivre du moulin

B

Bien rincer les crevettes sous l'eau froide et les décortiquer. Déposer les carapaces dans une casserole et verser l'eau. Porter à ébullition et laisser mijoter 10 minutes. Filtrer à la passoire et réserver le bouillon.

Dans une grande casserole, faire chauffer l'huile à feu moyen-élevé. Ajouter les oignons, les piments, le concentré de tomates et l'origan. Assaisonner et faire cuire environ 5 minutes.

Ajouter le bouillon réservé et porter à ébullition. Ajouter le riz et les pommes de terre. Laisser mijoter, à feu doux et à couvert, environ 20 minutes ou jusqu'à ce que le riz et les pommes de terre soient cuits.

Dans une grande poêle, faire chauffer la moitié du beurre et faire sauter la moitié des crevettes environ 2 minutes. Ajouter la moitié de l'ail et assaisonner. Retirer de la poêle et répéter avec le reste des crevettes.

Ajouter les crevettes, les petits pois, le maïs et le fromage à la soupe. Cuire 5 minutes. Ajouter le lait évaporé et les œufs, et laisser réchauffer 2 minutes tout en remuant. Vérifier l'assaisonnement et servir aussitôt.

Buen Provecho !

C

Un rosé qui va droit au but.
Château de Lancyre, Pic Saint Loup, Coteaux du Languedoc.

! **MON PLUS BEAU SOUVENIR D'ENFANCE** Les réunions des fêtes et les cadeaux de Noël récompensant mes efforts scolaires et ma contribution aux travaux domestiques. **MA FRAYEUR D'ENFANT** Les vampires.

Je pense aux journées ensoleillées que nous passions à nous ébrouer dans les vagues. Je revois les matchs de soccer que nous nous livrions sur le sable brûlant, mon frère, mes cousins, les copains et moi. Je sens l'odeur enivrante du *chupe de camarones* qui nous attendait comme un trophée et que nous engouffrions avec nos appétits d'enfants aux yeux plus grands que la panse. C'est le souvenir qui émerge quand je mijote cette chaudrée du Pérou, le pays natal de ma mère.

Vous l'aurez deviné, c'est ma photo de première communion. Qui suis-je : ange ou démon ?

GRENIER Auteur et humoriste

Ragoût de lotte et de légumes

Pour 2 personnes en appétit

A

45 ml (3 c. à soupe) d'huile d'olive

1 gros oignon pelé et émincé

1 gousse d'ail, pelée et hachée finement

1 carotte moyenne, pelée et coupée en julienne

1/2 poivron rouge, coupé en julienne

1 blanc de poireau coupé en julienne

454 g (1 lb) de lotte parée et détaillée en rondelles de 2,5 cm (1 po)

250 ml (1 tasse) de fumet de poisson

Quelques gouttes de sauce au piment (*sambal oelek* ou tabasco)

1 courgette moyenne, émincée

12 olives noires Calamata, dénoyautées

125 ml (1/2 tasse) d'herbes fraîches, ciselées (coriandre, romarin, persil plat, ciboulette)

Sel et poivre du moulin

LE MOT À LA BOUCHE

Couramment employé dans la cuisine indonésienne, le *sambal oelek* est une purée très piquante, à base de piment rouge, d'oignon râpé, de lime, de sel, de vinaigre et de sucre.

B

Dans une sauteuse, faire chauffer l'huile à feu moyen-élevé. Ajouter l'oignon, l'ail, et faire revenir 2 minutes. Ajouter la carotte, le poivron, le poireau et le poisson. Mélanger et laisser cuire 2 minutes. Ajouter le fumet de poisson et la sauce aux piments. Assaisonner et cuire 10 minutes à feu doux.

Ajouter les courgettes, les olives et les herbes. Poursuivre la cuisson 5 minutes. Vérifier l'assaisonnement. Servir dans des assiettes creuses préalablement réchauffées.

Accompagner de baguette grillée et badigeonnée d'une bonne huile d'olive.

C

Un vin blanc du sud du Rhône. Châteauneuf-du-Pape, blanc, Château de Beaucastel.

! **MON PLUS BEAU SOUVENIR D'ENFANCE** Mon premier *smoked meat* à quatre ans… et mon premier resto ! **MON FILM PRÉFÉRÉ ÉTANT PETIT** *Blanche-Neige* de Walt Disney.

J'attendais trois personnes à dîner la première fois que je me suis aventuré à faire cette recette. La table était dressée depuis longtemps et j'avais préparé tous les ingrédients à l'avance, de façon à ne pas rester prisonnier de la cuisine. Les carottes, le poivron rouge, les poireaux, les courgettes... tous lavés, tous égouttés, tous épluchés, tous coupés (la plupart en julienne, évidemment), et prêts à bondir dans la sauteuse. Puis... bang! Panne de courant! On a alors sauté dans l'auto et fait un saut au resto.

Mimi, papa fait parler les fraises!

Pas parler, coco... poêler ! Papa fait poêler les fraises !

Dans les derniers mois de ma grossesse, je préparais des purées en attendant la venue de mon fils, puis je dessinais des nuages et des oiseaux sur le plafond de sa chambre. Ces œuvres d'amour terminées, je me précipitais chez mon glacier favori pour y savourer une énorme glace à la vanille ! Mais n'allez surtout pas croire que les fringales de ce genre n'appartiennent qu'aux femmes enceintes. Mon bébé a grandi et j'éprouve le même engouement pour ces surprises glacées.

On m'appelait la petite pomme d'automne à cause de mes pommettes roses et saillantes.

GUÉRIN Comédienne

Fraises poêlées au Pernod et au poivre noir de mon ami Sylvain

Pour 2 personnes

A

- 1 casseau de fraises fraîches
- 30 ml (2 c. à soupe) de beurre
- 30 ml (2 c. à soupe) de Pernod
- Poivre du moulin
- 2 portions de glace à la vanille

B

Laver, équeuter et couper les fraises en deux. Dans une poêle antiadhésive, faire fondre le beurre à feu moyen. Ajouter les fraises et poêler 2 minutes. Elles doivent demeurer croquantes.

Déglacer au Pernod et poivrer généreusement. Déposer la glace à la vanille dans de petits bols et y verser les fraises au Pernod. Savourer immédiatement.

C

Un vin blanc liquoreux, riche et doté d'une vibrante acidité. Jurançon du Domaine Cauhapé, cuvée Sève d'automne ou cuvée Noblesse du Temps.

!

MON PLUS BEAU SOUVENIR D'ENFANCE Quand mon père m'emmenait au cirque.
MES PERSONNAGES PRÉFÉRÉS ÉTANT PETITE Fanfreluche et la sorcière jouée par Hélène Loiselle (même si elle me faisait un peu peur).

C'est ma recette quand je veux impressionner une fille. En plus, elle se prépare vite, vite, vite, vite, vite, vite, vite, vite, vite.

J'enregistrais mon premier album.

HOUDE Humoriste

Salade tiède au saumon et aux primeurs du marché

Pour 2 personnes

A

LA MAYONNAISE À L'ANETH

80 ml (1/3 tasse) de mayonnaise

20 ml (4 c. à thé) de jus de citron

10 ml (2 c. à thé) de câpres

10 ml (2 c. à thé) d'aneth frais, haché finement

Quelques gouttes de sauce Tabasco

LA SALADE

15 ml (1 c. à soupe) de beurre

2 échalotes grises, pelées et hachées finement

125 ml (1/2 tasse) de vin blanc

2 pavés de saumon d'environ 150 g (5 oz) chacun, sans la peau

Fines laitues au choix (feuille de chêne, Boston, chicorée, *lollo rossa*, etc.)

Légumes au choix (tomates, asperges, poivrons orange ou jaunes, etc.)

Sel et poivre du moulin

B

LA MAYONNAISE À L'ANETH

Dans un petit bol, mélanger tous les ingrédients. Réserver au réfrigérateur.

LA SALADE

Dans une poêle, faire fondre le beurre et faire revenir les échalotes à feu moyen pendant 2 minutes. Ajouter le vin blanc et porter à ébullition. Assaisonner les pavés de saumon et déposer dans la poêle. Cuire à feu doux et à couvert de 10 à 12 minutes.

Garnir les assiettes de laitues mélangées et de légumes. Disposer le saumon chaud sur les légumes et accompagner de mayonnaise à l'aneth.

Régalez-vous et dansez en ligne !

C

Jouez la carte de la fraîcheur.
Chablis Champs Royaux, William Fevre.

MA FRAYEUR D'ENFANT Les filles. **MON PERSONNAGE PRÉFÉRÉ ÉTANT PETIT** Woody le pic. **CE QUE M'INSPIRE LE MOT « GOURMAND »** Bourrelet. **MON RÊVE DE BONHEUR** Plus jamais de guerre, mais de la crème glacée pour tout le monde.

C'était au jour de l'An 53, j'avais deux ans et nous venions tout juste de recevoir la bénédiction de grand-papa.

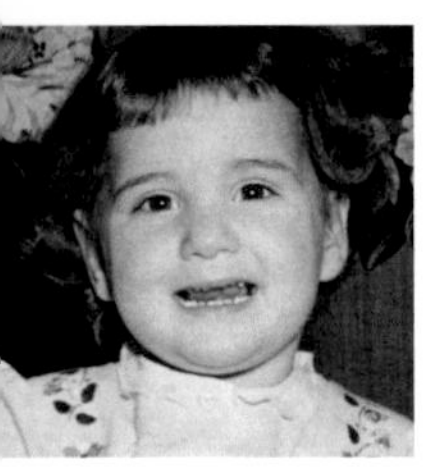

LABERGE Écrivain

Filet de porc farci

Pour 6 à 8 personnages en quête d'auteur

LA FARCE

30 ml (2 c. à soupe) d'huile d'olive

1 oignon moyen, pelé et haché finement

2 ou 3 gousses d'ail, pelées et hachées finement

1 poireau haché finement

150 g (1/3 lb) de porc haché

225 g (1/2 lb) de foies de volaille, parés et coupés en petits dés

3 tranches de pain, sans la croûte, émiettées

1 œuf

30 ml (2 c. à soupe) de sauge fraîche, ciselée

80 ml (1/3 tasse) de persil plat, haché

Sel et poivre du moulin

LES FILETS DE PORC

3 à 4 gros filets de porc

45 ml (3 c. à soupe) d'huile d'olive

15 ml (1 c. à soupe) de moutarde de Dijon

Sel et poivre du moulin

B

LA FARCE

Dans une grande poêle, faire chauffer l'huile à feu moyen et faire revenir l'oignon, l'ail et le poireau pendant 5 minutes. Ajouter le porc haché et les foies. Faire cuire juste ce qu'il faut pour que la viande soit légèrement colorée. Transférer dans un grand bol.

Ajouter la mie de pain et bien mélanger. Ajouter l'œuf, la sauge et le persil. Être généreux, puisque la couleur verte de la farce y gagnera son plus bel effet avec le rose du filet de porc. Assaisonner et bien mélanger.

LES FILETS DE PORC

Faire une entaille le long des filets en prenant soin de laisser environ 3 cm (1 1/4 po) à chaque extrémité. Bien presser la farce dans la cavité. Ne pas hésiter à rendre les filets bien dodus. Refermer les filets sur la farce et tenir en place à l'aide de cure-dents. Ficeler ensuite les filets à tous les 1 cm (1/2 po). Retirer ensuite les cure-dents. Déposer les filets dans un plat allant au four.

Mélanger l'huile et la moutarde et badigeonner les filets. Assaisonner. Cuire environ 40 minutes au four préchauffé à 180 °C (350 °F).

Retirer la ficelle avant de servir. Trancher les filets et servir froid, accompagnés d'une salade de haricots frais et de tomates à la vinaigrette balsamique.

NOTE

Ce plat peut également se servir chaud. Allonger alors le jus de cuisson avec un peu de vin rouge, de fond de veau ou d'une sauce demi-glace (maison ou du commerce).

Un bon Cahors. Vignoble qui a de l'histoire. Clos La Coutale, Cahors.

! **MON PLUS BEAU SOUVENIR D'ENFANCE** Mon anniversaire ! Être la reine d'un jour dans une famille de sept enfants, ça compte ! **MA FRAYEUR D'ENFANT** La cave où j'étais sûre que les fantômes se terraient, attendant de nous saisir les chevilles si on ne montait pas les marches assez vite.

J'ai le souvenir vivace de ma mère préparant ce
mets. Sa dextérité à ficeler les filets me fascinait.
C'est ma recette toute occasion, ma valeur sûre.

C'est mon hors-d'œuvre préféré (et le préféré des Haïtiens). Quand ma mère faisait ce plat, c'était généralement le samedi après-midi. Je devais avoir six ans et je me souviens que je me tenais près d'elle, impatient de goûter aux premières fritures. J'aimais les manger debout (c'est d'ailleurs le seul plat qu'on mangeait de cette façon). Chaque fois, je me brûlais la langue. Je ne pouvais pas attendre qu'elles refroidissent. Aujourd'hui, c'est la même chose. Ça m'arrive encore à tout coup !

LAFERRIÈRE Écrivain

Plantain frit (ou Banane 101)

Pour 8 personnes

A

4 bananes plantains

De l'huile d'arachide en quantité suffisante pour la friture

Un bol d'eau salée

B

Peler et couper les plantains en diagonale, en cinq tranches. Faire chauffer l'huile à 150 °C (300 °F) et faire frire les tranches de plantain, deux ou trois à la fois, jusqu'à ce qu'elles soient légèrement dorées. Les retirer de l'huile et les « peser », c'est-à-dire les aplatir mais pas trop, en les plaçant entre deux planchettes (ce qu'on appelle les « pèses ») ou encore les « peser » entre une planche à découper et le comptoir.

Plonger ensuite rapidement les tranches de plantain dans une eau salée, puis bien égoutter sur du papier absorbant. Terminer ensuite la cuisson dans la friture, jusqu'à l'obtention d'une belle couleur dorée.

Ce plat peut se manger sans accompagnement ou avec une bonne salade (cresson, tomate ou avocat).

NOTE

Attention de ne pas vous brûler la langue !

C

Un verre de rhum vieux, chaleureux et tonique. Appleton Extra ou Saint James ambré.

! **MON PLUS BEAU SOUVENIR D'ENFANCE** Une toupie rouge que j'ai reçue en cadeau et qui n'arrête plus de tourner dans ma tête. **MON RÊVE DE BONHEUR** Je n'aime pas rêver. La vie est trop excitante.

Je préfère me définir comme étant « gourmette » plutôt que gourmande. Je suis « gourmette » de la vie, de ses bontés multiples. Le souvenir que je garde de cette recette évoque un peu cela. Mon beau-frère, Jean Dufour, l'avait préparée à l'occasion de mon anniversaire. La table était dressée sur le gazon, sous un bel arbre. La nappe blanche, qui s'étendait jusqu'au sol, ondulait au vent et contrastait avec le vert soutenu de l'herbe fraîchement coupée. Entourée de ma famille, caressée par un rayon de soleil, un verre de champagne à la main, je savourais la vie et la savoure toujours.

C'était ma tante Cécile, sœur chez les Ursulines, qui avait confectionné ma robe, le voile et la parure sur les cheveux.

LAFONTAINE Comédienne

Lasagne aux trois fromages de mon beau-frère Jean

Pour 6 personnes

A

454 g (1 lb) de lasagnes

500 ml (2 tasses) de fromage ricotta

1 œuf battu

750 ml (3 tasses) d'épinards cuits, égouttés et hachés grossièrement

750 ml (3 tasses) de sauce tomate maison ou du commerce

625 ml (2 1/2 tasses) de fromage mozzarella, râpé

250 ml (1 tasse) de fromage parmesan, râpé

454 g (1 lb) de tranches de viande fumée (*smoked meat*)

500 ml (2 tasses) de sauce béchamel

60 ml (1/4 tasse) de chapelure

Sel et poivre du moulin

B

Dans une grande casserole d'eau bouillante salée, faire cuire les lasagnes de 8 à 10 minutes, en remuant souvent. Égoutter et huiler légèrement afin d'éviter qu'elles ne collent les unes aux autres. Étaler sur un linge propre.

Dans un bol moyen, mélanger la ricotta, l'œuf et assaisonner. Réserver.

Huiler un plat à lasagnes de 32 cm x 23 cm (13 po x 9 po). Étendre une première rangée de pâtes à lasagne. Couvrir ensuite avec les épinards et napper de sauce tomate.

Parsemer du tiers de la mozzarella et du parmesan. Disposer une autre rangée de pâtes et napper de sauce tomate. Couvrir de viande fumée, puis de ricotta. Parsemer du tiers de la mozzarella et du parmesan.

Disposer une dernière rangée de pâtes, un peu de sauce tomate et le reste de la mozzarella. Pour terminer, napper de la sauce béchamel, du reste du parmesan et saupoudrer le tout de chapelure.

Cuire environ 45 minutes au four préchauffé à 180 °C (350 °F), ou jusqu'à ce que le tout soit bien doré.

NOTE

Vous pouvez ajouter du gruyère, du provolone ou de l'asiago ou tout autre fromage à pâte ferme.

Vous pouvez également ajouter des olives et remplacer la viande par des légumes, comme du brocoli, du chou-fleur, des asperges, des courgettes ou des carottes râpées.

Toute autre substitution est acceptée, le « chef » ne vous en tiendra pas rigueur !

C

Un rouge italien, joyeux et léger. Dolcetto d'Alba, Controvento, Bava.

! **MON PERSONNAGE PRÉFÉRÉ ÉTANT PETITE** Un petit cheval vert volant. **MA FRAYEUR D'ENFANT** Le noir de la nuit. **MON RÊVE DE BONHEUR** « La paix sur la terre aux hommes de bonne volonté ».

Lorsque je demandais à mes filles de quel gâteau elles souhaitaient se régaler à leur anniversaire, elles me répondaient toujours : un gros, gros gâteau au chocolat. Ça tombait bien : je déteste les demi-portions. Alors, je leur en ai inventé un. Gros... et au chocolat ! J'ai eu, à mon tour, un plaisir fou à confectionner ce gâteau goûteux, riche et rassasiant. Par conséquent, si l'on me demande quel est mon vice culinaire, je réponds illico qu'en cuisine, rien ne peut être vicieux.

Ma mère prenait un plaisir fou à confectionner mes habits.

LARRIVÉE Animateur

Gâteau d'anniversaire au chocolat

Pour 10 à 12 personnes

A

LE GÂTEAU

500 ml (2 tasses) de farine

250 ml (1 tasse) de cacao

10 ml (2 c. à thé) de levure chimique

8 œufs, à la température ambiante

5 ml (1 c. à thé) de crème de tartre

750 ml (3 tasses) de sucre

250 ml (1 tasse) d'huile végétale

250 ml (1 tasse) de babeurre

15 ml (1 c. à soupe) d'extrait de vanille pur

LE SIROP

125 ml (1/2 tasse) de sucre

175 ml (3/4 tasse) d'eau

LE GLAÇAGE

300 ml (1 1/4 tasse) de beurre non salé, mou

60 ml (1/4 tasse) d'huile végétale

60 ml (1/4 tasse) de crème à 35 %

1,25 L (5 tasses) de sucre à glacer

250 ml (1 tasse) de cacao

B

LE GÂTEAU

Beurrer deux moules ronds de 23 cm (9 po) et tapisser de papier parchemin. À défaut de papier parchemin, beurrer et fariner les moules.

Dans un bol, tamiser la farine, le cacao et la levure. Réserver.

Dans un autre bol, fouetter les œufs, la crème de tartre et le sucre au batteur électrique, à vitesse maximale, jusqu'à ce que le mélange double de volume, soit environ 8 minutes.

Ajouter l'huile, le babeurre, la vanille et bien mélanger. Incorporer ensuite les ingrédients secs, à basse vitesse, et mélanger juste assez pour obtenir une belle consistance lisse et homogène.

Verser la préparation dans les moules. Cuire au centre du four, préchauffé à 180 °C (350 °F), environ 45 minutes ou jusqu'à ce qu'un cure-dent inséré au centre du gâteau en ressorte propre. Laisser reposer les gâteaux environ 5 minutes, puis les démouler. Laisser refroidir complètement sur une grille. Couper chaque gâteau en deux, horizontalement.

LE SIROP

Dans une casserole, porter le sucre et l'eau à ébullition. Lorsque le sucre est complètement dissous, retirer du feu et réserver.

LE GLAÇAGE

Dans un bol, fouetter tous les ingrédients au batteur électrique, à vitesse moyenne, jusqu'à l'obtention d'une consistance onctueuse.

Badigeonner de sirop chaque étage du gâteau, puis tartiner de glaçage. Superposer les étages et terminer en glaçant complètement le gâteau.

C

Pour les enfants, un lait fouetté au chocolat et à la banane.
Pour les parents, un porto LBV 1997, Quinta do Crasto.

MON PLUS BEAU SOUVENIR D'ENFANCE Les vacances passées au bord d'un lac à Naples, aux États-Unis. On nageait, on allait aux bleuets sous les pins et on mangeait les omelettes baveuses de grand-maman.

Mon grand-papa et moi, devant sa maison de Dunrea au Manitoba.

daniel

LAVOIE Auteur-compositeur et interprète

Tarte à la rhubarbe

Pour 6 à 8 personnes

A

- 2 abaisses de pâte brisée
- 1 L (4 tasses) de rhubarbe fraîche, coupée en morceaux de 2,5 cm (1 po)
- 80 ml (1/3 tasse) de farine
- 375 ml (1 1/2 tasse) de sucre
- 1 pincée de muscade moulue
- 1 pincée de cannelle moulue
- 2 œufs légèrement battus
- 15 ml (1 c. à soupe) de lait
- 15 ml (1 c. à thé) d'extrait de vanille pur
- 15 ml (1 c. à soupe) de beurre
- 1 jaune d'œuf

B

Foncer une assiette à tarte de 23 cm (9 po) de la première abaisse. Garnir de rhubarbe.

Dans un bol, bien mélanger la farine, le sucre, la muscade et la cannelle. Réserver. Dans un autre bol, mélanger les œufs, le lait et la vanille. Verser sur la rhubarbe et parsemer de beurre.

Couvrir de la deuxième abaisse et pratiquer une légère incision au centre de la pâte pour permettre à la vapeur de cuisson de s'échapper. À la fourchette, mélanger le jaune d'œuf et 15 ml (1 c. à soupe) d'eau. Badigeonner la pâte de la dorure. Cuire de 45 à 50 minutes au four préchauffé à 190 °C (375 °F).

C

Soyez créatif et ajoutez une petite touche d'acidité au dessert. Mavrodaphné de Patras d'Achaia Clauss.

! **MON PLUS BEAU SOUVENIR D'ENFANCE** Mon grand-père venait me chercher presque tous les matins. Il n'entrait pas. Il restait dehors et m'appelait en faisant « Tût, tût, tût, tût, tût... ». Je me ruais alors à l'extérieur, le cœur rempli de joie, et nous partions nous promener, le vieil homme et l'enfant.

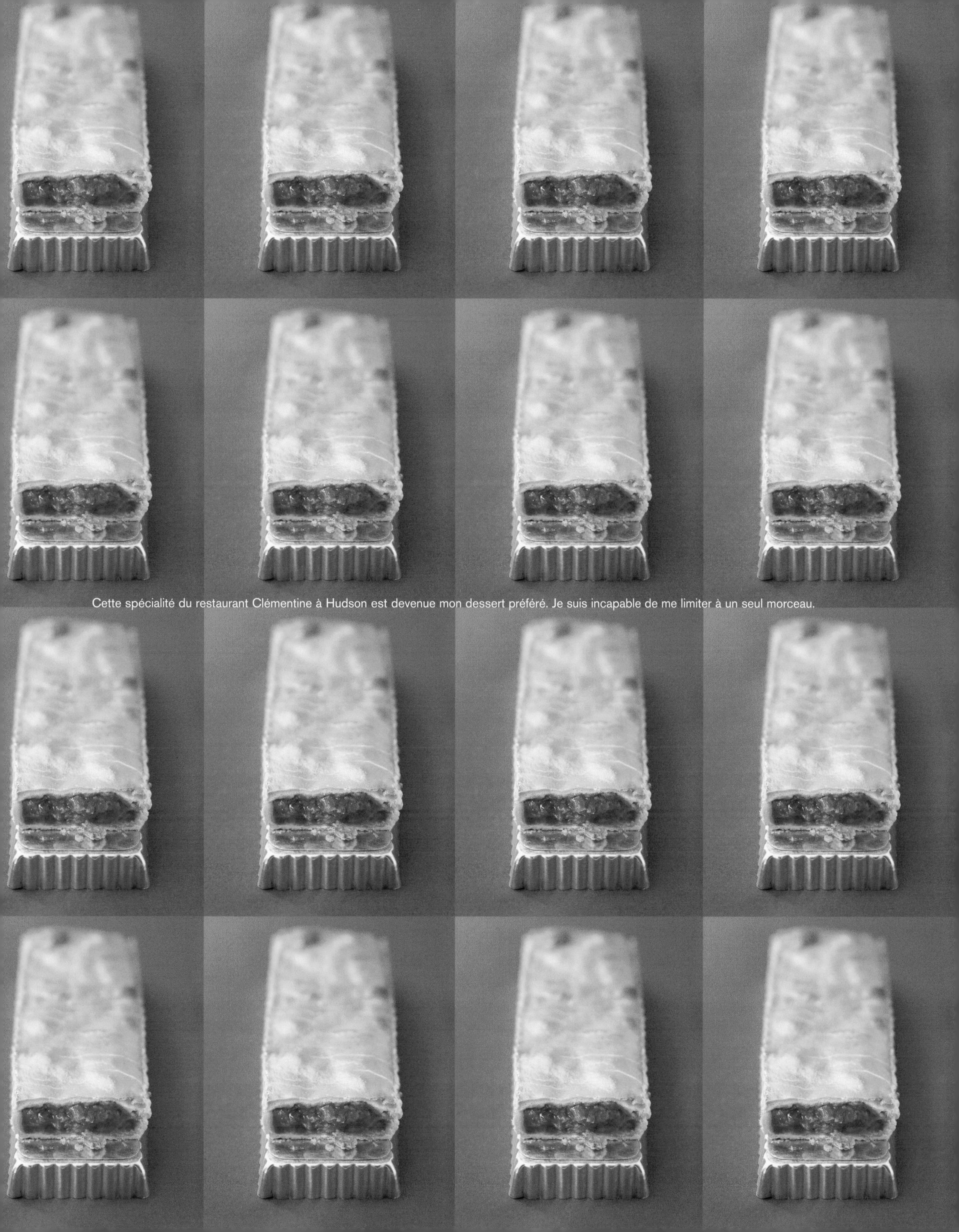

Cette spécialité du restaurant Clémentine à Hudson est devenue mon dessert préféré. Je suis incapable de me limiter à un seul morceau.

Le jour où j'ai eu le bonheur de déguster du foie gras poêlé, c'était au restaurant Laurie Raphaël, à Québec. Pour tout vous dire, je n'avais jamais rien goûté d'aussi extraorrrrrrdinaire de ma vie. Dans mon exaltation, j'ai demandé à rencontrer immédiatement le chef pour l'en féliciter. Je m'attendais à serrer la pince d'un Français du genre cromagnon et ventripotent, et c'est alors que je fis la rencontre de Daniel Vézina, chef et copropriétaire du resto, qui n'avait rien de l'image préconçue que je me faisais des grandes toques. Depuis cette soirée exquise, notre amitié n'a cessé de grandir, de même que mon admiration pour lui.

J'avais une tête un peu plus grosse que celle des autres enfants. Ma mère s'en inquiétait et nous allions chez le médecin tous les mois pour la faire mesurer! Malgré tout, je contemplais l'avenir positivement.

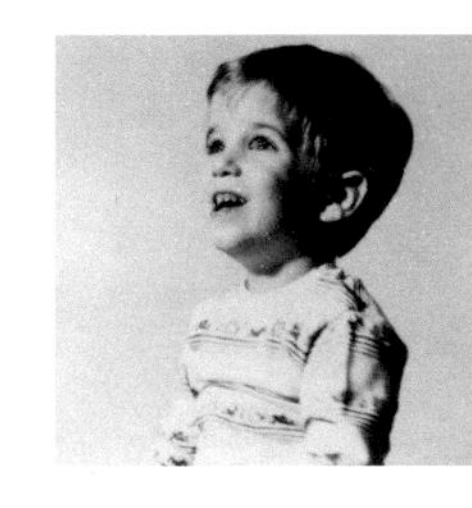

L'ECUYER Comédien et animateur

Foie gras « Aux Champs d'Élisée » poêlé aux pommes et aux champignons sauvages

Pour 4 personnes

A

75 ml (5 c. à soupe) de beurre

2 pommes Red Cart (ou Golden), pelées, évidées et coupées en petits dés

225 g (1/2 lb) de champignons sauvages (chanterelles, trompettes-de-la-mort, cèpes, etc.), brossés et coupés en deux, si nécessaire

Quelques feuilles de thym frais

Un peu de ciboulette fraîche, ciselée

Un peu d'estragon frais, haché

4 tranches de foie gras « Aux Champs d'Élisée » d'environ 75 g (2 1/2 oz) chacune, dénervées

30 ml (2 c. à soupe) de cidre de glace Neige de La Face Cachée de la Pomme

80 ml (1/3 tasse) de vin blanc de L'Orpailleur

250 ml (1 tasse) de fond brun de canard ou de veau

Fleur de sel

Sel et poivre du moulin

B

Dans une poêle, faire fondre 30 ml (2 c. à soupe) de beurre à feu élevé et faire sauter les dés de pomme de 1 à 2 minutes seulement, pour garder leur croquant. Retirer de la poêle et réserver.

Dans la poêle, faire fondre 45 ml (3 c. à soupe) de beurre et faire sauter les champignons de 3 à 4 minutes. Ajouter le thym, la ciboulette et l'estragon, et assaisonner. Ajouter les dés de pomme et mélanger le tout délicatement. Réserver hors feu.

À l'aide d'un couteau dont la lame a été trempée dans l'eau chaude, faire un quadrillage peu profond sur une des faces de chaque tranche de foie. Assaisonner ensuite le foie gras de fleur de sel et de poivre. Faire chauffer une poêle antiadhésive à feu élevé et saisir le foie gras des deux côtés en commençant par le côté quadrillé. Retirer de la poêle et déposer sur une petite plaque de cuisson.

Dégraisser la poêle et déglacer au cidre de glace. Mouiller avec le vin blanc, porter à ébullition et réduire de moitié. Ajouter le fond de canard et réduire du tiers. Vérifier l'assaisonnement et réserver au chaud.

Récupérer le gras de canard de la plaque de cuisson et verser dans la sauce. Réchauffer les tranches de foie gras de 2 à 3 minutes au four préchauffé à 180 °C (350 °F). Réchauffer rapidement les champignons et les pommes à feu élevé, puis répartir dans des assiettes chaudes. Disposer le foie gras sur les champignons, napper de sauce et garnir de thym frais.

C

Un cidre de glace québécois. Neige de La Face Cachée de la Pomme ou le Minot des Glaces du Verger du Minot.

!

MON PLUS BEAU SOUVENIR D'ENFANCE Mes vacances au lac Nominingue à neuf ans, année historique où j'ai attrapé mon premier achigan! **MES PERSONNAGES PRÉFÉRÉS ÉTANT PETIT** Sol et Gobelet.

Issus d'une famille pauvre, nous avions néanmoins le bonheur, dans notre jeunesse, de savourer un rôti de bœuf au moins une fois par mois. Je dois avouer que notre plaisir redoublait juste à penser que nous aurions du macaroni au bœuf les jours suivants. Comme quoi, les restes sont parfois les meilleurs.

En bon petit garçon, je servais la messe durant les 40 jours du carême.

LEMAIRE Président et chef de la direction, Cascades

Macaroni au bœuf de ma mère

Pour une grande famille

A

Les restes d'un rôti de côtes de bœuf désossé

Quelques oignons émincés

Sel et poivre du moulin

100 g (3 1/2 oz) de macaronis longs (*ziti* ou *bucatini*) par personne

B

Ma mère prenait soin de conserver tous les restes d'un rôti : la sauce, le gras, les os et les parures, tout en mettant la viande de côté, s'il en restait.

Elle préparait un bouillon avec les premiers ingrédients, en ajoutant de l'eau – environ 1,25 L (5 tasses) d'eau pour 250 ml (1 tasse) de restes, selon l'humeur ou la diète. Elle y ajoutait des oignons et laissait mijoter une bonne heure, à couvert.

Elle filtrait le bouillon obtenu, dans lequel elle ajoutait des macaronis longs, selon la quantité de liquide récupéré ou le nombre d'estomacs à rassasier. Les pâtes cuisaient pendant que le liquide réduisait, à découvert.

À la fin, elle ajoutait les morceaux de viande taillés en cubes et beaucoup de poivre et de sel.

C'est un délice que nous mangeons encore en famille, à l'occasion. Même nos filles continuent de le préparer et de s'en régaler.

C

Un rouge qui a du caractère, moyennement corsé. Château Puy-Landry, Côtes de Castillon.

! **MA FRAYEUR D'ENFANT** Couchés dans la rue, nous attendions que mon frère Bernard saute par-dessus nous avec sa bicyclette (j'étais toujours le dernier de la ligne !).

Je n'ai aucun souvenir de cette photo sur mon «cheval à spring»! Examinez bien mon regard: le vide total. Pas étonnant que je ne me rappelle rien.

lynda LEMAY Auteur-compositeur et interprète

Poivrons sautés

Pour 4 personnes

A

30 ml (2 c. à soupe) d'huile d'olive

2 poivrons rouges, épépinés et coupés en quatre

5 ou 6 anchois rincés, essuyés et hachés

2 pincées de flocons de piments broyés

1 oignon pelé et émincé

60 ml (1/4 tasse) de tomates séchées dans l'huile, coupées en dés

15 ml (1 c. à soupe) de câpres

1 gousse d'ail, pelée et hachée finement

Un peu de vinaigre balsamique

Poivre du moulin

B

Dans une poêle, faire chauffer l'huile à feu moyen. Déposer les poivrons, les anchois et poivrer. Saupoudrer d'une pincée de flocons de piments broyés et cuire 5 minutes.

Retourner les poivrons et saupoudrer à nouveau de flocons de piments broyés. Ajouter l'oignon, les tomates séchées et poursuivre la cuisson 5 minutes. Retourner les poivrons, ajouter les câpres et l'ail. Poursuivre la cuisson 2 minutes. Les oignons doivent être dorés, mais encore fermes.

Retirer de la poêle, déposer dans une assiette creuse, puis servir avec un filet de vinaigre balsamique.

C

Un rouge italien qui a du verre et de l'élégance. Merlot Ca'Vescovo, Aquilea, Zonin.

!

MON PLUS BEAU SOUVENIR D'ENFANCE En tout cas, sûrement pas mon «cheval à spring»! **MA FRAYEUR D'ENFANT** Les raz-de-marée. **MES HÉROS FICTIFS** Les gars des romans Harlequin à la mâchoire volontaire.

Un soir, j'ai essayé de reproduire, avec mes pauvres instincts culinaires, un plat absolument délicieux que j'avais dégusté au restaurant La Queue de Cheval, à Montréal. Pour une fois, je n'ai pas été déçue du résultat. Bien au contraire !

Je ne sais pas faire à manger. Je passe ma vie au resto. Parfois, il m'arrive d'en avoir ras le bol et c'est à ce moment-là que je prépare ce plat. En tout, je connais cinq recettes. Celle-ci est la meilleure. Un macaroni tout simple qui ne prétend à rien d'autre que de réchauffer le cœur quand il en a besoin. Ma grand-mère le faisait pour ma mère, ma mère me l'a servi à son tour, et aujourd'hui je le prépare pour mon fils. Côté fromage : faites pas la baboune et commencez surtout pas à improviser ! Ça prend du Kraft **ORANGE**. Une saveur introuvable dans les restos bon chic, bon genre et que recherchent les vrais connaisseurs de cette icône du *comfort food*.

C'était l'anniversaire de Donald Lautrec ! Je n'étais pas la fille qui sortait du gâteau, mais la fillette qui surgissait d'en dessous.

sophie LORAIN Comédienne

Macaroni à la viande de ma mère

Pour 4 personnes

A

- 30 ml (2 c. à soupe) d'huile d'olive
- 2 oignons pelés et hachés
- 675 g (1 1/2 lb) de bœuf haché maigre
- 750 ml (3 tasses) de macaronis
- 796 ml (28 oz) de tomates en dés, en conserve
- 2 gousses d'ail, pelées et hachées finement
- 2,5 ml (1/2 c. à thé) d'origan séché
- 250 g (9 oz) de tranches de fromage Kraft
- Sel et poivre du moulin

B

Dans une poêle, faire chauffer l'huile d'olive à feu moyen. Ajouter les oignons et les faire revenir environ 5 minutes. Une fois bien dorés, ajouter la viande et la faire cuire en la défaisant à la fourchette. Assaisonner.

Faire cuire les pâtes tel que conseillé sur l'emballage. Dans un plat allant au four, mélanger les pâtes et la viande cuite, ajouter les tomates, l'ail et l'origan. Si la texture est trop sèche, ajouter du jus de tomate ou une autre petite boîte de tomates. Mais je suis formelle, pas de pâte de tomates ! Bien mélanger.

Vérifier l'assaisonnement et déposer les tranches de fromage sur le dessus pour recouvrir complètement les macaronis.

Cuire au four préchauffé à 180 °C (350 °F) environ 15 minutes, juste assez pour faire fondre le fromage. Faire ensuite gratiner légèrement sous le gril, mais ne pas l'oublier là comme ça m'arrive si souvent !

C

N'hésitez pas et ouvrez un joyeux Chianti Classico, San Felice.

! **MON PLUS BEAU SOUVENIR D'ENFANCE** Mes déguisements avec mon amie Isabelle et nos fameuses recettes de mélanges de tout ce qu'on peut trouver dans une cuisine.
MON HÉROS FICTIF PRÉFÉRÉ Tintin.

Nicolas

MACROZONARIS Sprinter, champion canadien 2003 aux 100 m et 200 m

Rôti de bœuf du dimanche, après la course

Pour 8 à 10 personnes

A

2 kg (4 1/2 lb) de rôti de côtes de bœuf, désossé

60 ml (1/4 tasse) de moutarde de Dijon

30 ml (2 c. à soupe) d'huile d'olive

30 ml (2 c. à soupe) de feuilles de thym frais, hachées

30 ml (2 c. à soupe) de romarin frais, haché

2 gousses d'ail, pelées et hachées finement

45 ml (3 c. à soupe) de beurre

1 gros bouquet de thym frais

Sel et poivre du moulin

B

Sortir le rôti du réfrigérateur au moins 1 heure avant la cuisson.

Dans un petit bol, mélanger la moutarde, l'huile, le thym, le romarin et l'ail.

Dans une grande poêle, faire fondre le beurre, à feu moyen-élevé. Faire revenir le rôti de bœuf. Assaisonner, puis badigeonner de la moutarde aux herbes. Déposer les branches de thym dans le fond d'une rôtissoire avant d'y déposer le rôti. Cuire 1 heure et demie au four préchauffé à 180 °C (350 °F), en arrosant du jus de cuisson à l'occasion.

En fin de cuisson, retirer le rôti du four, couvrir et laisser reposer au moins 10 minutes avant de le trancher. Le rôti conservera ainsi son jus et sera plus savoureux.

NOTE

Pour moi, le temps se compte un chrono à la main. Par contre, pour un rôti, c'est le degré de cuisson qui compte, et non la durée. Par conséquent, utilisez un thermomètre à viande.

Le rôti est saignant lorsque la température interne atteint 60 °C (140 °F). À 65 °C (150 °F), la cuisson est à point et à 70 °C (160 °F), le rôti est bien cuit.

C

Un rouge corsé pour une cuisson saignante et plus souple pour une cuisson plus avancée. Château Charmail, Haut Médoc.

! **MON PLUS BEAU SOUVENIR D'ENFANCE** Mon premier Nintendo. **MA FRAYEUR D'ENFANT** Qu'un serpent surgisse de la cuve des toilettes et me morde les fesses. **MES PERSONNAGES PRÉFÉRÉS ÉTANT PETIT** Les tortues Ninja.

Je n'irai pas par quatre chemins, car je n'en ai pas l'habitude, surtout pendant les compétitions. Au départ, j'aime le *beef*. À l'arrivée, j'aime donc le *roast beef*.

Je suis né dans les Abruzzes en Italie. Nous vivions sous un « régime seigneurial » et les deux tiers de notre production étaient versés au propriétaire des terres. Étant pauvres, nous n'avions pratiquement jamais de viande à nous mettre sous la dent. Le beurre n'était pas non plus à la portée de notre bourse, ce qui fait que maman utilisait du lard frais dans la préparation de ses *crespelle bagnate*, une recette familiale remontant jusqu'à mon arrière grand-mère. Savourer ce repas frugal était pour nous une véritable fête !

J'avais 16 ans et je m'apprêtais à aller travailler en Allemagne.

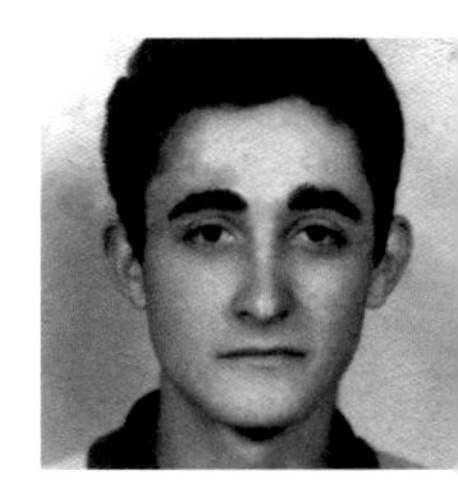

nino MARCONE

Commerçant, Chez Nino Fruits et Légumes, marché Jean-Talon

Crespelle Bagnate (Crêpes dans le bouillon)

Pour 4 personnes

A

LE BOUILLON

4 L (16 tasses) d'eau

2 branches de céleri ou 1 céleri-rave, émincé

3 ou 4 carottes pelées et émincées

2 poireaux émincés

2 pommes de terre pelées et coupées en cubes

1 oignon pelé et émincé

5 ou 6 tomates cerises

2 gousses d'ail, non pelées et entières

1 feuille de laurier

Quelques branches de thym frais

Quelques branches de persil plat

1 ou 2 morceaux de veau ou de poulet (facultatif)

Sel et poivre en grain

LES CRÊPES

175 ml (3/4 tasse) de farine

1 pincée de sel

2 œufs

300 ml (1 1/4 tasse) de lait

Un peu de beurre

Du fromage parmesan frais, râpé

Un peu de ciboulette fraîche, ciselée

B

LE BOUILLON

Verser l'eau dans une grande casserole, ajouter tous les ingrédients et porter à ébullition. Si désiré, ajouter un morceau d'épaule ou de jarret de veau ou deux cuisses de poulet. Réduire à feu doux, écumer et laisser mijoter environ 2 heures à découvert.

LES CRÊPES

Dans un bol, mélanger la farine et le sel. Ajouter les œufs et le lait et bien mélanger à l'aide d'un fouet.

Dans une poêle, à feu moyen, faire chauffer un peu de beurre et verser assez de mélange de façon à former une crêpe la plus mince possible. Faire cuire des deux côtés. Saupoudrer chaque crêpe de parmesan, puis rouler.

LA FINITION ET LA PRÉSENTATION

Déposer trois ou quatre crêpes dans chaque assiette creuse. Remplir de bouillon de légumes bien chaud, saupoudrer de ciboulette et de parmesan.

Les légumes et la viande se servent dans un grand plat au centre de la table.

Un rouge italien généreux et charnu. Cannonau di Sardegna Riserva, Sella & Mosca.

!

MON CONTE PRÉFÉRÉ ÉTANT PETIT Je travaillais dur. J'ai eu peu de temps pour ces choses de l'enfance. **MON RÊVE DE BONHEUR** Visiter en Winnebago les champs de fruits et de légumes que je vends depuis 35 ans !

J'ai eu une enfance heureuse et douce.

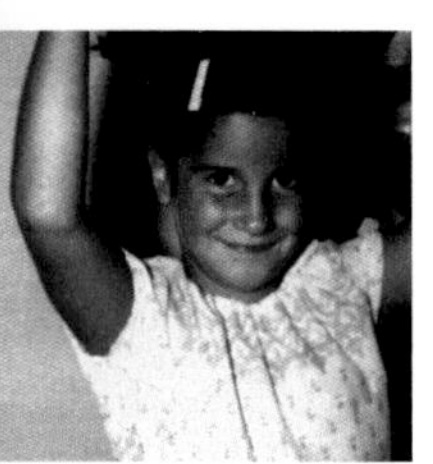

elyse MARQUIS Comédienne et animatrice

Salade d'été au poulet et au fenouil
Pour 2 personnes

A

- 250 ml (1 tasse) de bouillon de poulet
- 1 poitrine de poulet, désossée et sans la peau
- 125 ml (1/2 tasse) de yogourt nature
- 30 ml (2 c. à soupe) de moutarde de Dijon
- Un peu de jus de citron (au goût)
- 1 bulbe de fenouil, tranché finement (partie blanche seulement)
- 1 pomme verte, non pelée, évidée et tranchée finement
- Quelques feuilles de menthe fraîche
- Sel et poivre du moulin

B

Dans une casserole, porter le bouillon à ébullition. Assaisonner le poulet et l'incorporer au bouillon. Réduire à feu doux, couvrir et laisser pocher le poulet de 15 à 17 minutes ou jusqu'à ce qu'il soit cuit. Retirer de la casserole et laisser refroidir. Trancher finement et réserver.

Dans un bol, mélanger le yogourt, la moutarde et le jus de citron. Réserver 45 ml (3 c. à soupe) pour la finition. Ajouter le fenouil, la pomme et les feuilles de menthe à la sauce et bien mélanger (personnellement, j'aime bien quand il y a beaucoup de menthe). Assaisonner.

Servir la salade au centre de chaque assiette, tracer un léger cordon de sauce tout autour et servir.

C

Un vin blanc estival. Fumé blanc, Napa Valley, Mondavi.

MON PLUS BEAU SOUVENIR D'ENFANCE Le chien que j'ai reçu en cadeau à Noël. Enfant unique, ça me faisait un compagnon. **MON PERSONNAGE PRÉFÉRÉ ÉTANT PETITE** J'ai toujours voulu être l'amie de Picotine ! J'ai même porté son costume dans une émission spéciale et j'en étais réellement émue !

Depuis quelques années, je fais pousser des fines herbes sur mon balcon et j'en parfume tous mes plats, de même que l'air du voisinage. Si vous ne disposez pas d'un petit coin pour en faire la culture en dilettante, rassurez-vous, vous trouverez en tout temps au marché la plupart des fines herbes, comme la menthe. Cette salade, je vous la propose en entrée, mais elle peut également être servie en sandwich dans le pain de votre choix.

J'aime ce qui est doux, suave, sensuel... et rond comme la papaye, la mangue ou le citron! Ma recette embrasse toutes ces vertus. Par excès de gourmandise, j'avoue toutefois m'être rendue malade la première fois que j'y ai goûté. J'essaie de me convaincre que dans la vie, l'important est de savoir quand s'arrêter. *Mea-culpa*: je suis une passionnée. Et tant pis. Il est si bon, ce poulet!

Je devais avoir deux ans, j'avais la picote et barboter dans le bain me faisait du bien.

McCLEMENS Comédienne

Poulet au citron confit

Pour 4 personnes

A

30 ml (2 c. à soupe) d'huile d'olive

1 poulet coupé en huit portions

5 oignons pelés et émincés

3 gousses d'ail, pelées et hachées

5 ml (1 c. à thé) de gingembre moulu

5 ml (1 c. à thé) de curcuma

15 ml (1 c. à soupe) de cannelle moulue

250 ml (1 tasse) de bouillon de poulet (ou d'eau)

Quelques pistils de safran

375 ml (1 1/2 tasse) d'olives vertes, dénoyautées

3 citrons confits, coupés en tranches

1 bouquet de coriandre fraîche, hachée

Sel et poivre du moulin

B

Dans une grande cocotte, faire chauffer l'huile à feu moyen-élevé. Saisir les morceaux de poulet jusqu'à ce qu'ils soient bien dorés. Assaisonner, puis retirer de la cocotte.

Cuire les oignons, l'ail, le gingembre, le curcuma et la cannelle dans la cocotte (ajouter un peu d'huile, si nécessaire), de 10 à 15 minutes et remettre le poulet. Ajouter le bouillon et le safran. Couvrir et poursuivre la cuisson 15 minutes.

Dans une petite casserole, déposer les olives et couvrir d'eau. Porter à ébullition, égoutter et rincer sous l'eau froide, afin de dessaler les olives.

Ajouter les olives et les citrons au poulet. Poursuivre la cuisson 30 minutes. Incorporer la coriandre, découvrir et faire réduire la sauce environ 10 minutes. Vérifier l'assaisonnement et servir.

Voilà !

C

Un vin blanc riche et parfumé à base de cépage viognier. Condrieu La Loye, J.M. Gerin.

MON PERSONNAGE PRÉFÉRÉ ÉTANT PETITE Fanfreluche, qui nous amenait à croire en la magie.
MON HÉROÏNE FICTIVE Mafalda, une enfant spontanée et candide, qui porte un regard très lucide sur le monde.

J'avais beau habiter à la mer, les vagues me flanquaient la trouille.

Philippe MOLLÉ Journaliste-chroniqueur en gastronomie

Petite bolée à l'œuf, foie gras, moelle, truffe et caviar

Recette gourmande pour 2 ou 4 personnes

A

4 os à moelle

1 petite truffe d'hiver, coupée en petits dés

125 ml (1/2 tasse) de demi-glace de veau (maison ou du commerce)

60 ml (1/4 tasse) de porto

30 ml (2 c. à soupe) de beurre non salé

15 ml (1 c. à soupe) de vinaigre de Yema

4 œufs frais

4 pistils de safran

60 g (2 oz) de foie gras de canard, coupé en dés

45 ml (3 c. à soupe) de caviar du Témiscamingue

Un peu de fleur de sel

Un peu de poivre de Penja

LE MOT À LA BOUCHE

La *truffe d'hiver*, récoltée et commercialisée entre novembre et février, dégage un parfum plus prononcé, intense et capiteux.

Le *vinaigre de Yema* est considéré comme étant le meilleur vinaigre de xérès qui soit. Son parfum est extrêmement subtil et délicat. À défaut d'en trouver, vous pouvez le remplacer par un vinaigre de xérès de votre choix.

Le *poivre blanc de Penja*, originaire du Cameroun, est lui aussi considéré par les gastronomes comme le summum, en raison de sa rareté, de son parfum raffiné et de sa saveur chaleureuse et ronde.

B

Faire dégorger les os à moelle au moins 2 heures, dans une eau froide et salée. Pocher ensuite les os 10 minutes à l'eau bouillante et salée pour en extraire la moelle. Tailler la moelle en petits cubes et la mélanger avec la truffe. Réserver.

Faire réduire de moitié la demi-glace et le porto. Ajouter le beurre, le vinaigre et réserver, à température tiède.

Dans un petit cul-de-poule, casser les œufs et ajouter le safran. Saler et réserver.

Répartir la préparation de moelle à la truffe dans de petites soupières ou des bols miniatures à tête de lion. Sur une plaque de cuisson, cuire 4 minutes au four préchauffé à 190 °C (375 °F).

Cuire les œufs au bain-marie en les remuant constamment, jusqu'à l'obtention d'une consistance d'œufs brouillés. Ajouter les dés de foie gras en cours de cuisson. Poivrer et saler légèrement en considérant que le caviar ajoutera une note salée.

Ajouter 15 ml (1 c. à soupe) de sauce au porto sur la moelle, puis répartir les œufs brouillés. Garnir de caviar et servir aussitôt. Si désiré, accompagner de mini blinis tièdes et de crème sure.

C

Un grand bourgogne blanc arrivé à maturité. Meursault ou Corton Charlemagne.

MON PLUS BEAU SOUVENIR D'ENFANCE Vivre dans l'attente du père Noël jusqu'au matin où il était déjà passé ! **MA FRAYEUR D'ENFANT** Pour jouer, on m'avait enfermé dans un placard... mais on m'y avait oublié !

De mes souvenirs gourmands, je retiens Tahiti, où mon ami Max et moi nous lancions des défis pour déguster du caviar que nous nous faisions livrer par avion. Caviar pressé, malossol, oscietre, sevruga... cela n'avait pas d'importance. Les jours maigres, je les conjuguais avec des œufs de poule, sachant qu'œufs et œufs font bon ménage (surtout si la moelle est de la partie). Tahiti est maintenant loin et le caviar se fait rare, mais celui du Témiscamingue, qui n'est certes pas iranien, est cependant fort acceptable !

Le week-end, l'*osso buco* est le plat tout indiqué pour vous remettre dans votre assiette. *Perfetto per tutta la famiglia !*

Jean-Luc

MONGRAIN Présentateur de nouvelles et chef d'antenne, TQS

Osso buco

Pour 6 personnes

A

6 belles tranches de jarret de veau de lait d'environ 2,5 cm (1 po) d'épaisseur

45 ml (3 c. à soupe) de farine

45 ml (3 c. à soupe) d'huile d'olive

125 ml (1/2 tasse) de vin blanc

1 carotte moyenne, pelée et coupée en dés

1 oignon pelé et émincé

2 branches de céleri, coupées en dés

2 tomates rouges, émondées, épépinées et coupées en dés

60 ml (1/4 tasse) de concentré de tomates (choisir celui en tube, il est excellent)

750 ml (3 tasses) de fond de veau ou de bouillon de poulet

1 branche d'origan frais

4 branches de persil plat

4 branches de thym frais

1 feuille de laurier

2 gousses d'ail, pelées et hachées finement

Sel et poivre du moulin

B

Assaisonner les tranches de jarret et les enfariner. Dans une grande cocotte, faire chauffer l'huile à feu élevé et saisir les tranches de jarret environ 2 minutes de chaque côté. Si votre cocotte n'est pas suffisamment grande pour saisir toutes les tranches à la fois, faire cette étape en deux fois, car il est préférable que les tranches de jarret ne se chevauchent pas pour bien les saisir. Retirer les tranches de jarret de la cocotte. Réserver.

Déglacer au vin, réduire à feu moyen et bien gratter le fond de la cocotte. Ajouter la carotte, l'oignon, le céleri, les tomates et bien mélanger. Ajouter le concentré de tomates, le fond de veau, l'origan, le persil, le thym, le laurier et l'ail. Bien mélanger.

Replacer les tranches de jarret dans la cocotte. Couvrir et cuire 3 heures au four préchauffé à 160 °C (325 °F). Si nécessaire, enlever les *osso buco* de la cocotte et faire réduire le jus de cuisson à feu élevé jusqu'à consistance désirée. Replacer les *osso buco* dans la sauce et servir accompagnés de tagliatelles.

C

Un beau vin blanc du Piémont. Barolo Prunotto (le cru Bussia, de préférence).

! **MA FRAYEUR D'ENFANT** Le voile des religieuses. **MON HISTOIRE PRÉFÉRÉE ÉTANT PETIT** *Vingt mille lieues sous les mers.* **MON PLAT DE RÉCONFORT** Le tapioca.

Il s'agit de l'une des rares photos de moi, prise alors que j'avais trois ans. Il faut dire qu'à l'époque, dans mon milieu, la photographie n'était pas le principal passe-temps.

MORENCY Écrivain, poète et dramaturge

Coulis de « petites poires »

Une recette-histoire

A

LES PERSONNAGES

L'observateur-cueilleur

La compagne de l'observateur-cueilleur

LE CADRE

Une petite maison au bord du fleuve, en été.

B

SCÈNE 1

Il s'agit d'abord de cueillir. Pour cueillir, il faut savoir reconnaître l'arbre fruitier, en l'occurrence l'amélanchier. On le reconnaît à son tronc long, étroit et gris, à ses fleurs blanches en étoiles, précoces et fragiles au vent, qui donneront naissance à des baies grosses comme des bleuets, que l'on nomme au Québec « petites poires » et « saskatoons » ailleurs au Canada.

Avant de cueillir, il convient d'observer la vie naturelle autour des amélanchiers, reconnaître les oiseaux qu'attirent les petits fruits. Les jaseurs, les moqueurs, les merles, les grives et les étourneaux les grappillent même verts, ce qui rend la cueillette aléatoire, incertaine et précieuse. Vers la fin juillet, les petites poires parviennent à leur couleur de maturité, un pourpre profond mâtiné de rouge bourgogne. C'est le temps de cueillir les petits fruits que les volatiles auront laissés sur les branches, ce que fait l'observateur-cueilleur pendant que sa compagne, sous la pergola, achève de lire *L'Amélanchier*, de Jacques Ferron.

! **MON PLUS BEAU SOUVENIR D'ENFANCE** La cueillette de petits fruits en compagnie de ma mère.
MON RÊVE DE BONHEUR N'avoir pas à rêver au bonheur.

SCÈNE 2

La compagne du cueilleur entre en scène. Elle commence par mesurer la quantité de fruits que l'observateur lui a apportés. Elle mesure également la proportion de sucre idéale : entre le tiers et la moitié selon qu'on aime le mets plus ou moins sucré.

Dans un faitout à fond épais, elle mélange fruits et sucre et porte à ébullition à feu moyen. Vingt minutes plus tard, c'est prêt. Et c'est alors que tout commence vraiment.

La cuisinière passe cette confiture à consistance liquide dans un tamis assez fin pour laisser passer la pulpe et le jus, tout en retenant la pelure et les infimes noyaux rouges. À ce coulis d'un fluide épais, elle ajoute un peu de jus de citron. Elle mélange « idoinement » avant de mettre le tout en petits pots. Les bocaux recouverts de paraffine n'auront pas besoin d'être placés au congélateur.

SCÈNE 3

La compagne de l'observateur-cueilleur connaît plusieurs utilisations de ce coulis dont la claire couleur pourprée n'a pas d'égale. Elle en nappera, par exemple, une salade de cailles tièdes, une glace maison aux abricots ou un yogourt nature sans gras.

Elle pourra également, connaissant les goûts de l'observateur, éclaircir une petite quantité de coulis avec un fond de veau pour en cuisiner une sauce incomparable servant à rehausser volailles et gibiers.

Enfin, la lectrice de *L'Amélanchier* sait très bien qu'un simple petit pot de coulis, artistement étiqueté, constitue un présent naturel et original à emporter chez qui l'invite à dîner.

ÉPILOGUE

Si, par malheur, les amélanchiers sont absents de vos parages, le coulis de bleuets saura procurer un plaisir différent, mais néanmoins inoubliable.

Mon *surf & turf* pour fins palais me rappelle ces belles journées d'octobre passées à l'Isle-aux-Oyes, en compagnie de mes amis Champlain Charest et Jean-Paul Riopelle. Après nous être repus de la beauté sauvage du Saint-Laurent et des magistrales symphonies d'oiseaux, nous rentrions au bercail et je cuisinais le repas. La journée se terminait autour de la table, où nous continuions tous les trois à goûter la vie en savourant ses bienfaits.

Bambin, je babillais peu. Je n'ai vraiment commencé à parler qu'à l'âge de deux ans. Je me suis rattrapé depuis !

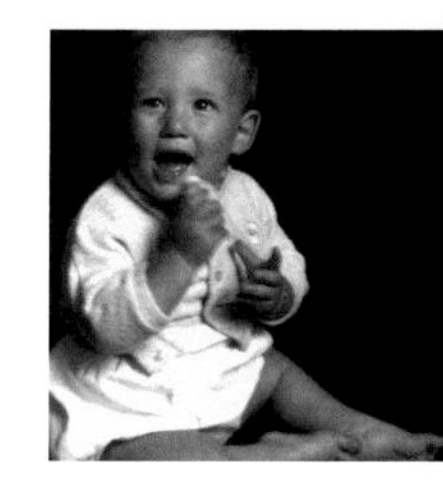

ODERMATT Photographe et mécène

Saumon et foie gras de luxe à la coulée de miel et Sauternes

Pour 3 personnes

A

10 ml (2 c. à thé) d'huile d'olive

10 ml (2 c. à thé) de beurre

3 pavés de saumon d'environ 120 g (1/4 lb) chacun, sans la peau et prélevés dans la partie charnue du saumon (le dos)

3 tranches de foie gras de canard d'environ 100 g (3 1/2 oz) chacune, dénervées

15 ml (1 c. à soupe) de miel

45 ml (3 c. à soupe) de Sauternes

60 ml (1/4 tasse) de demi-glace de canard ou de veau

Fleur de sel

Poivre du moulin

B

Dans une poêle, faire chauffer l'huile et le beurre à feu élevé. Déposer le saumon du côté opposé à celui où se trouvait la peau. Saisir 2 minutes, puis réduire à feu moyen. Retourner le saumon et poursuivre la cuisson de 3 à 4 minutes. Assaisonner et réserver.

Faire chauffer une poêle antiadhésive à feu élevé, jusqu'à ce qu'elle soit très chaude. Déposer le foie gras sans ajout de matière grasse. Saisir de 1 à 2 minutes de chaque côté. Parsemer de quelques cristaux de fleur de sel, puis retirer de la poêle. Ajouter une coulée de miel à la poêle et déglacer au Sauternes. Si désiré, allonger la sauce de demi-glace.

Servir accompagné de poireaux étuvés et d'une poêlée de champignons sauvages.

C

Ici, le mariage est tout tracé.
Un Sauternes Grand cru classé.

!

MA FRAYEUR D'ENFANT Perdre mes dents. **MON PERSONNAGE PRÉFÉRÉ ÉTANT PETIT** Jinny.
MON RÊVE DE BONHEUR Vivre jusqu'à 150 ans... avec une jeune femme de 50 ans !

Pierre Péladeau m'avait invitée chez lui au cours d'un week-end et je lui avais promis de créer un brunch inoubliable à l'intention de ses invités du lendemain. Mon ami Guy Boucher m'avait prêté main-forte (ainsi qu'une main de maître) en me suggérant ce plat savoureux et ensoleillé. Lui et moi prenions souvent plaisir à nous étonner mutuellement avec des recettes nouvelles, aux ingrédients à vue de nez disparates (comme notre fameuse soupe froide aux concombres et aux raisins verts). Mais je suis comme ça, curieuse, ma recette du bonheur étant de tout essayer.

Toute petite, je ressentais un besoin d'évasion. Je demandais à ma mère de me faire belle et, assise sur le capot de la voiture de mon père, je regardais les gens poursuivre leur destin.

OUIMET Animatrice

Brunch chez Pierre

Pour 6 personnes

A

- 6 pommes de terre Yukon Gold, pelées et coupées en gros cubes
- Un peu de beurre
- 6 tranches de bacon
- 1,5 L (6 tasses) d'épinards nettoyés et équeutés
- 6 œufs
- 375 ml (1 1/2 tasse) de fromage cheddar moyen ou fort, râpé
- Un peu de paprika
- Sel et poivre du moulin

B

Dans une casserole remplie d'eau salée, cuire les pommes de terre environ 20 minutes. Égoutter avant de réduire en purée. Ajouter une noix de beurre et assaisonner. Réserver.

Dans une poêle, faire cuire le bacon jusqu'à ce qu'il soit très croustillant. Déposer sur du papier absorbant, laisser refroidir légèrement, puis émietter. Réserver.

Dans une autre poêle, faire fondre un peu de beurre, à feu moyen. Cuire les épinards environ 2 minutes. Assaisonner, égoutter et hacher. Ajouter ensuite à la purée de pommes de terre.

Beurrer légèrement un plat allant au four, puis y étendre la purée. Creuser six petites cavités. Déposer un œuf dans chacune d'elles, puis parsemer de bacon émietté.

Cuire au four préchauffé à 180 °C (350 °F) jusqu'à ce que les œufs soient au goût, mollets ou bien cuits. Retirer du four, couvrir de cheddar et saupoudrer de paprika. Faire gratiner au four, puis servir aussitôt.

C

Profitez du contexte brunch pour servir un cidre rosé mousseux, comme celui de Michel Jodoin (produit du Québec).v

! **MON PLUS BEAU SOUVENIR D'ENFANCE** Quand l'orage me terrifiait, ma grand-mère Lauda m'enveloppait d'une couverture surpiquée et m'emmenait sur la galerie de son immense maison de Windsor pour me faire entendre le bon Dieu jouer au bowling!

J'ai toujours eu des chats et une tête à chapeau !

mahée

PAIEMENT Comédienne

Röstis et carré d'agneau aux herbes de Provence

Pour 4 personnes

LE CARRÉ D'AGNEAU

2 gousses d'ail, pelées et hachées finement

10 ml (2 c. à thé) d'origan frais, haché

10 ml (2 c. à thé) de sarriette fraîche, hachée

15 ml (1 c. à soupe) de feuilles de thym frais

15 ml (1 c. à soupe) de romarin frais, haché

125 ml (1/2 tasse) d'huile d'olive

Le zeste d'un demi-citron, haché finement

2 carrés d'agneau du Québec

Sel et poivre du moulin

LES RÖSTIS

60 ml (1/4 tasse) de graisse de canard ou de beurre

1 oignon blanc, haché finement

4 pommes de terre Yukon Gold, pelées et râpées grossièrement

Sel et poivre du moulin

LE CARRÉ D'AGNEAU

Mélanger l'ail, l'origan, la sarriette, le thym, le romarin, l'huile d'olive et le zeste de citron. Badigeonner les carrés d'agneau de la moitié de la préparation et conserver l'autre moitié pour badigeonner après la cuisson. Assaisonner et déposer les carrés dans une rôtissoire.

Faire saisir les carrés d'agneau 5 minutes, au four préchauffé à 220 °C (425 °F).

Réduire la température du four à 190 °C (375 °F) et poursuivre la cuisson de 25 à 30 minutes, selon la cuisson désirée. Préparer les röstis pendant la cuisson.

LES RÖSTIS

Dans une grande poêle, faire chauffer, à feu moyen, 15 ml (1 c. à soupe) de gras de canard et faire revenir l'oignon jusqu'à ce qu'il soit bien doré. Retirer l'oignon de la poêle et le mélanger aux pommes de terre. Assaisonner.

Ajouter le reste du gras de canard à la poêle et déposer les pommes de terre séparées en quatre parts. Bien presser pour former des galettes (on peut utiliser un emporte-pièce pour obtenir un rond parfait), puis cuire à feu doux 15 minutes, en prenant soin de retourner les röstis à la mi-cuisson.

LA FINITION

Sortir les carrés d'agneau du four, les badigeonner du reste de la marinade et les recouvrir d'un papier d'aluminium. Laisser reposer de 6 à 8 minutes, le temps que la viande se détende, avant de la trancher. Elle en sera plus tendre et savoureuse. Tailler ensuite les côtelettes et les servir sur les röstis.

Un rouge généreux et corsé. Côtes-du-Rhône Villages Rasteau, Benjamin Brunel.

MA FRAYEUR D'ENFANT *Thriller* de Michael Jackson (le vidéoclip) !
CE QUE JE DÉTESTE PAR-DESSUS TOUT Les asperges et l'intolérance.

J'ai développé très tôt mon goût pour l'agneau. Je devais avoir quatre ans et je me tenais en bordure de la terrasse d'un restaurant français non loin de la maison, attendant qu'on m'offre l'un de ces carrés d'agneau, qui valsaient de table en table au bras des serveurs. Pour ce qui est des pommes de terre, ne vous surprenez pas si vous entendez mon entourage me surnommer « Lady Parmentier ». Je suis tombée dedans alors que j'étais haute comme... trois pommes. Oui, mon enfance est parsemée de souvenirs savoureux. Et *Bach et Bottine* est celui dont je me délecte encore le plus aujourd'hui.

Déjà, nous étions très proches l'une de l'autre.

esther et sophie

PAQUETTE Propriétaires, Boutique Lyla

Mousse de ris de veau

Donne 48 bouchées

A

454 g (1 lb) de ris de veau

1/2 oignon pelé et haché

125 ml (1/2 tasse) de porto blanc

454 g (1 lb) de beurre salé

Le jus d'un citron frais

Poivre au goût

B

Laver les ris de veau à l'eau froide. Dans un plat de cuisson, déposer les ris et l'oignon. Ajouter le porto, couvrir et cuire 1 heure au four préchauffé à 180 °C (350 °F). Sortir du four, découvrir et laisser reposer 15 minutes ou jusqu'à ce que ce soit tiède. Couper les ris en gros morceaux.

Dans un robot culinaire, réduire en purée les ris et leur liquide de cuisson. Ajouter progressivement le beurre jusqu'à consistance d'une purée lisse et homogène. Ajouter le jus du citron et poivrer. Vérifier l'assaisonnement, puis passer au tamis. Couvrir et réfrigérer 2 heures avant de servir.

C

Un vin blanc riche et racé. Pouilly-Fuissé Les Reisses, Robert Denogent.

! **NOTRE PLUS BEAU SOUVENIR D'ENFANCE** Nos journées d'anniversaire à la piscine. **NOTRE FRAYEUR D'ENFANT** Les crapauds ! **NOS PERSONNAGES PRÉFÉRÉS ÉTANT PETITES** Bobino et Bobinette.

Chaque fois qu'une occasion s'y prête, nos amis nous réclament invariablement notre recette fétiche. Cette « fameuse » mousse, nous la servons de deux façons, selon l'humeur du moment : soit sur d'élégantes feuilles d'endive, le tout garni de feuilles de basilic nain pourpre, de quartiers de raisin ou de dés de figues fraîches, soit sur des croûtons. Bien des gens ne pensent pas apprêter les ris de veau autrement qu'en les braisant. Pourtant, outre la mousse, les variations peuvent se jouer sur le thème de l'infini. En beignets, en bouchées, en brochettes, en pâté ou en paupiettes, ils sont à faire fondre de plaisirs... au pluriel.

De tous les biscuits de la Terre, ces biscuits au pain d'épices étaient les préférés de mon père. Depuis que j'ai repris les «rennes» de l'entreprise familiale, ils sont aussi devenus mes favoris. C'est donc de manière tout à fait intéressée que je vous offre la recette de cette gourmandise pas si sage. Avis aux grands et petits qui souhaitent être en tête de liste à mon prochain passage!

Livreur de cadeaux

Ma recette préférée de biscuits au pain d'épices

Pour le père Noël affamé (environ 36 biscuits)

A

- 125 ml (1/2 tasse) de beurre
- 300 ml (1 1/4 tasse) de cassonade
- 1 œuf battu
- 30 ml (2 c. à soupe) de lait
- 60 ml (1/4 tasse) de mélasse
- 5 ml (1 c. à thé) de gingembre moulu
- 5 ml (1 c. à thé) de muscade moulue
- 5 ml (1 c. à thé) de cannelle moulue
- 1 L (4 tasses) de farine
- 2,5 ml (1/2 c. à thé) de bicarbonate de soude

B

Dans un grand bol, battre le beurre en crème. Ajouter la cassonade et bien mélanger. Incorporer l'œuf, le lait et la mélasse. Réserver.

Dans un autre bol, mélanger les épices, la farine et le bicarbonate. Incorporer aux ingrédients liquides. Couvrir et réfrigérer au moins 1 heure.

Sur une surface enfarinée, abaisser la pâte à environ 0,5 cm (1/4 po) d'épaisseur. Détailler à l'aide d'un emporte-pièce au choix.

Déposer délicatement sur une plaque à biscuits antiadhésive ou recouverte d'un papier parchemin. Cuire de 8 à 10 minutes au four préchauffé à 180 °C (350 °F). Refroidir sur une grille.

C

Un verre de lait... ou un verre de cognac!

! **MON PLUS BEAU SOUVENIR D'ENFANCE** Mon premier traîneau électrique. **MA FRAYEUR D'ENFANT** Les cheminées. **MON HÉROS DANS LA VIE** Rudolph. **CE QUE JE DÉTESTE PAR-DESSUS TOUT** Les tuyaux de poêle à combustion lente. **CE QUE M'INSPIRE LE MOT «GOURMAND»** Ho! Ho! Ho!

De ma mère, je retiens entre autres cette merveilleuse leçon de vie : que l'on n'est jamais pauvres si l'on est riches dans sa tête et dans son cœur, et que l'on fait fructifier toutes les ressources de son imagination et de sa créativité. Mes recettes, je les concevais pour mes enfants avec ma tête et mon cœur, car j'aimais transformer la préparation des repas en une véritable fête. Pour moi comme pour eux, ces moments passés ensemble resteront toujours aussi précieux qu'inoubliables.

Je rêvais d'être une majorette, mais mes parents n'avaient pas les moyens de me payer l'uniforme. Je me suis inscrite à leur insu et fut nommée tambour-major ! Devant le fait accompli, ma mère s'est installée à son moulin à coudre et a TOUT confectionné.

PIMPARÉ Comédienne, animatrice et conférencière

Le porc-épic aux fruits et au fromage, pour les jours de fête

Pour 10 à 12 enfants

A

1 petit melon d'eau

1/2 citron

2 raisins de Corinthe ou 2 clous de girofle ainsi que tous les fruits inspirants pour décorer le porc-épic

454 g (1 lb) de raisins verts

454 g (1 lb) de raisins rouges

570 g (1 1/4 lb) de fromage cheddar blanc, coupé en cubes

570 g (1 1/4 lb) de fromage cheddar jaune, coupé en cubes

B

Pour le corps du porc-épic, trancher la base du melon à environ 2,5 cm (1 po). À l'aide de cure-dents, fixer la moitié du citron au melon d'eau pour faire la tête. Tailler un petit chapeau dans la tranche prélevée de la base du melon et la fixer à la tête. Décorer avec les raisins de Corinthe ou d'autres fruits pour former les yeux, la bouche et pourquoi pas les oreilles ! On peut laisser aller son imagination !

Faire des brochettes de fruits et de fromage en mettant, en alternance, raisin vert, fromage, raisin rouge, fromage. Piquer les brochettes dans le melon d'eau.

C'est simple, c'est amusant et c'est bon pour la santé.

Bon appétit !

C

De la limonade pour tout le monde !

MA FRAYEUR D'ENFANT Je n'avais pas peur de grand-chose. Je souhaitais même rencontrer le bonhomme Sept Heures ! **MON PERSONNAGE PRÉFÉRÉ ÉTANT PETITE** Fanfreluche. Elle avait du caractère et ne se laissait pas marcher sur les pieds, ni par les princesses ni par les rois.

C'était au temps des bonheurs tout simples.

andré

PROVENCHER Vice-président développement, *La Presse*

Carré de veau rôti

Pour 6 personnes

A

Un carré de veau de 6 côtes (apprêté par le boucher qui prendra soin de parer la viande et de bien dégager les os)

Un peu d'huile d'olive

Un peu de beurre

Quelques branches de romarin

Environ 4 verres de vin blanc sec

Sel et poivre du moulin

B

Bien assécher la viande et assaisonner généreusement de sel et de poivre. Faire chauffer l'huile d'olive et le beurre dans une rôtissoire ou une lèchefrite tout juste assez grande pour recevoir la pièce de viande.

À feu moyen, bien saisir la viande de tous les côtés. Cette étape est importante et devrait prendre environ 20 minutes, car la pièce de viande doit être bien caramélisée. Une protection est ainsi formée et le carré conservera ses sucs intérieurs, son jus et sa saveur.

Placer ensuite le carré dans la rôtissoire, côté os dessous. Déposer quelques branches de romarin sur le carré et tout autour, et arroser d'un verre de vin. Déposer au four préchauffé à 190 °C (375 °F), sur la grille du centre.

Ajouter un autre verre de vin aux 15 ou 20 minutes, les premières doses devant s'évaporer. Cuire de 60 à 75 minutes. Si on a un thermomètre à viande, la température interne de la viande devrait atteindre 70 °C (160 °F).

Retirer le carré de la rôtissoire, couvrir d'un papier d'aluminium et laisser reposer de 7 à 8 minutes avant de servir. Allonger le jus de cuisson d'un peu de vin blanc, de fond brun de veau ou d'un peu d'eau et de quelques noisettes de beurre froid. À feu moyen, bien gratter le fond de la rôtissoire pour en dégager les sucs.

Servir avec des haricots au beurre et des pommes de terre rôties au romarin.

C

Soyez classique et dirigez votre choix vers un superbe sangiovese de Toscane. Brunello di Montalcino, Banfi.

!

MON PLUS BEAU SOUVENIR D'ENFANCE Visiter les chantiers de papa et escalader les bulldozers.
MA FRAYEUR D'ENFANT Par Toutatis, j'ai cru que le ciel me tombait sur la tête lorsque la trappe du plafond s'est abattue sur moi.

Ma femme Rachel et moi nous promenions avec les enfants sur la Riviera italienne lorsque nous avons décidé de faire escale dans un tout petit village situé non loin de Portofino. Au détour d'un passage, une pittoresque trattoria, tenue par un jeune chef inventif aidé de son *padre*, a aussitôt suscité notre intérêt. Séduits par la simplicité chaleureuse de l'endroit, nous nous y sommes attablés dès le premier soir. Et c'est ainsi que nous avons eu droit aux meilleurs calmars qu'il nous ait été donné de déguster (le mot est faible !). La cuisine sans prétention était d'une telle finesse, que nous y sommes retournés les soirs suivants. De toutes nos délectations, je n'oublierai jamais ce carré de veau, tendre et juteux à souhait, que je prends d'ailleurs plaisir à faire et à refaire depuis ce séjour béni.

Le camp Burton à Chertsey, où je me rendais chaque été, appartenait à mon oncle Jacques. Pour moi, c'était un peu la garrigue de Pagnol. Et j'avais le privilège de pouvoir mâcher autant de gommes Popeye que je voulais!

REDDY Comédien

Cassoulet de volaille et de foie gras de canard

Pour 6 personnes

A

LE SEL À CONFIT

6 branches de thym

250 ml (1 tasse) de gros sel de mer

45 ml (3 c. à soupe) de cinq poivres concassés

4 ou 5 feuilles de laurier, émiettées

LE CONFIT

2 cuisses de canard de Barbarie

2 cuisses de pintade

2 cuisses d'oie (d'élevage ou sauvage), coupées en deux

1,5 L (6 tasses) de gras de canard

LE CASSOULET

570 g (1 1/4 lb) de haricots blancs lingots, rincés et égouttés

1 oignon pelé et piqué d'un clou de girofle

3 gousses d'ail, pelées

3 branches de thym

2 feuilles de laurier

7 ou 8 grains de poivre noir

80 ml (1/3 tasse) de gras de canard

1 oignon pelé et émincé

225 g (1/2 lb) de saucisse de Morteau (saucisson à l'ail), sans la peau et coupée en rondelles

120 g (1/4 lb) de lard de poitrine, sans la couenne, coupé en dés

500 ml (2 tasses) de fond blanc de volaille

80 ml (1/3 tasse) de chapelure

6 tranches de foie gras de canard frais de 60 g (2 oz) chacune, dénervées

B

LE SEL À CONFIT

Prélever les feuilles de thym de leurs branches et mélanger avec les autres ingrédients. Le sel à confit se conserve en pot de verre hermétique dans l'armoire à épices.

LE CONFIT

Rincer et essuyer les cuisses de volaille. Déposer dans un grand plat. Saupoudrer de 15 ml (1 c. à soupe) de sel à confit. Retourner les cuisses et saupoudrer à nouveau de 15 ml (1 c. à soupe) de sel à confit. Couvrir et réfrigérer 12 heures.

Rincer les cuisses à l'eau froide et essuyer. Dans une grande cocotte ou une casserole à fond épais, faire fondre le gras de canard et faire chauffer jusqu'à ce qu'il mijote légèrement. Déposer ensuite les cuisses de volaille en s'assurant qu'elles soient bien recouvertes, puis faire chauffer à feu moyen jusqu'à ce que le tout mijote légèrement. Couvrir et cuire environ 2 heures au four préchauffé à 150 °C (300 °F). Pour vérifier la cuisson, s'assurer que le pilon se détache facilement du haut de cuisse.

! **MON PLUS BEAU SOUVENIR D'ENFANCE** Mes balades en canot sur le lac Archambault. **MA FRAYEUR D'ENFANT** Les travaux d'école! **MON ÉMISSION PRÉFÉRÉE ÉTANT PETIT** *Les Cadets de la forêt.*

Dans le sud de la France, là où on élabore le madiran, j'ai découvert, ô surprise, qu'un cassoulet au foie gras avait des vertus curatives. En fait, croyez-le ou non, j'ai guéri un mal de ventre grâce à ce médicament voluptueux (vendu sans prescription !).

LE CASSOULET

Dans une grande casserole, déposer les haricots. Ajouter l'oignon piqué, l'ail, le thym, le laurier et le poivre. Couvrir d'eau et porter à ébullition. Réduire à feu doux, couvrir et laisser mijoter doucement 25 minutes. Égoutter.

Dans une grande cocotte, faire fondre 30 ml (2 c. à soupe) de gras de canard à feu moyen et faire revenir l'oignon émincé, la saucisse et le lard pendant 5 minutes. Ajouter les haricots cuits, le fond blanc et les cuisses confites, égouttées. Saupoudrer de chapelure et arroser du reste du gras de canard. Cuire 1 heure à découvert*, au four préchauffé à 150 °C (300 °F).

Faire chauffer une grande poêle à feu élevé, jusqu'à ce qu'elle soit bien chaude. Déposer le foie gras et cuire 1 minute de chaque côté. Assaisonner et retirer du feu.

Accompagner chaque portion de cassoulet de foie gras poêlé. Servir aussitôt.

*Selon les méthodes originales de cuisson, une croûte se forme sur le dessus du cassoulet après 1 heure au four. Il faut alors casser la croûte ou l'enfoncer, et refaire cette opération jusqu'à sept fois. Certains diront même de huit à dix fois.

C Un rouge souple du sud-ouest de la France. Château Montauriol, Côtes du Frontonnais.

Cette recette me rappelle les repas de « gang » de Beau Dommage dans les années 70. Nous nous retrouvions à La Bodega, avenue du Parc à Montréal, autour d'une bonne paella et d'un (gros !) pichet de sangria. Les années ont passé et le plaisir reste le même : vous invitez les copains à la maison et tout le monde pige dans le plat ! Si les amis ont décidé de camper chez vous, ne vous en faites pas. Le lendemain, vous leur servirez la bonne soupe aux lentilles de Marie-Christine. Les soupes de ma blonde, moi, ce sont mes plats de réconfort.

Mmm... beau bonhomme!

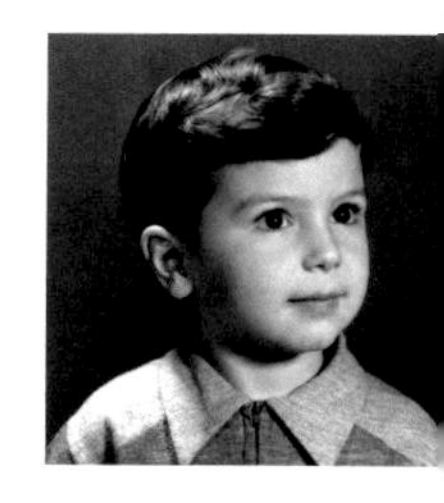

RIVARD Auteur-compositeur, humaniste

Paella aux fruits de mer et au lapin

Pour 8 personnes

A

1 saucisson chorizo

1 lapin (ou 1 poulet) coupé en six morceaux

80 ml (1/3 tasse) d'huile d'olive extra vierge

1 homard frais, d'environ 675 g (1 1/2 lb), coupé en morceaux

120 g (1/4 lb) de porc maigre désossé, coupé en très petits dés

1 oignon pelé et haché finement

2 gousses d'ail, pelées et hachées finement

1 poivron rouge, émincé finement

1 poivron jaune, émincé finement

2 grosses tomates pelées, épépinées et hachées

750 ml (3 tasses) de riz à grains longs

5 ml (1 c. à thé) de pistils de safran

1 L (4 tasses) de bouillon de poulet

14 crevettes de grosseur 26/30, ou des langoustines

14 palourdes moyennes, fraîches

12 moules fraîches

125 ml (1/2 tasse) de petits pois verts, frais ou surgelés

2 citrons coupés en quartiers

Sel et poivre du moulin

B

À l'aide d'un petit couteau, pratiquer quelques incisions dans le chorizo et le déposer dans une poêle à fond épais. Ajouter suffisamment d'eau froide pour le recouvrir. Porter à ébullition, puis continuer la cuisson 5 minutes à feu doux. Retirer de la poêle, sécher sur du papier absorbant et couper en rondelles.

Rincer et essuyer les morceaux de lapin avec du papier absorbant, puis assaisonner. Dans une poêle à fond épais, faire chauffer, à feu élevé, 30 ml (2 c. à soupe) d'huile, et faire revenir les morceaux de lapin jusqu'à ce qu'ils soient bien dorés. Retirer de la poêle et disposer dans une assiette.

Dans la même poêle, faire chauffer 15 ml (1 c. à soupe) d'huile, à feu élevé. Cuire le homard de 2 à 3 minutes ou jusqu'à ce que la carapace devienne rouge, en remuant constamment. Retirer de la poêle, puis disposer dans une assiette.

Faire chauffer, à feu élevé, un autre 15 ml (1 c. à soupe) d'huile d'olive dans la poêle. Faire rissoler les rondelles de chorizo 1 minute de chaque côté et les égoutter sur du papier absorbant. Réserver.

Ajouter le reste de l'huile d'olive à la poêle et faire chauffer à feu élevé. Ajouter le porc et faire revenir jusqu'à ce qu'il soit doré. Ajouter l'oignon, l'ail, les poivrons et les tomates. Cuire à feu élevé et à découvert, afin de faire évaporer le liquide légèrement. Réserver.

Environ 30 minutes avant de passer à table, poursuivre avec les dernières étapes. Dans une poêle à paella, mélanger la viande cuite, le riz, un peu de sel de mer et le safran. Mouiller avec le bouillon de poulet et porter à ébullition, en remuant constamment. Au premier bouillon, retirer du feu.

Disposer les morceaux de lapin, le homard, les saucisses, les crevettes, les palourdes et les moules sur le riz et parsemer de petits pois. Cuire environ 30 minutes, à découvert, sur la grille inférieure du four, préchauffé à 200 °C (400 °F), ou jusqu'à ce que le liquide soit complètement absorbé par le riz et que celui-ci soit *al dente*. Ne pas remuer la paella pendant la cuisson.

Lorsque la paella est prête, retirer du four et couvrir d'un linge. Laisser reposer de 5 à 8 minutes. Garnir avec le citron et servir dans le plat de cuisson.

C

Plusieurs possibilités, blanc riche, rosé pimpant ou rouge léger.
Vina Vilano, Ribera del Duero rosé.

! **MON PLUS BEAU SOUVENIR** Les étés à Val-Morin chez ma tante Raymonde. **MON CONTE PRÉFÉRÉ ÉTANT PETIT** *Le Petit Prince.* **CE QUE J'APPRÉCIE LE PLUS CHEZ UN ENFANT** La poésie involontaire.

Yé ! des grigne-cheese !

J'ai rapporté, d'un récent voyage à Naples, un gril à paninis absolument superbe, avec son allure de mallette élégante et raffinée. Mais bon, comme je ne cuisine jamais, à l'exception des rôties du matin dont se charge personnellement mon grille-pain, il ne me restait plus qu'à lui trouver une utilité. C'est chose faite. Mon *grilled cheese* nouveau genre, préparé sur ce gril avec le concours des stylistes culinaires du livre que vous êtes en train de feuilleter, est aussi inusité qu'exceptionnellement savoureux.

Ma mère m'habillait toujours comme un petit prince pour aller voir la parenté. Elle a travaillé fort pour nous élever. J'ai hérité de son courage et de sa détermination.

DELAGE ROBERGE Président et chef de la direction, Les Ailes de la Mode

Grilled cheese aux asperges vertes et au pesto de tomates séchées

Pour 2 personnes

A

12 à 15 petites asperges vertes

15 ml (1 c. à soupe) d'huile d'olive extra vierge

4 tranches de pain de campagne au levain ou de pain au choix

45 ml (3 c. à soupe) de pesto de tomates séchées

8 tranches de fromage provolone, gruyère ou mozzarella

Sel et poivre du moulin

NOTE

Si vous utilisez de grosses asperges, 6 à 8 suffiront. Taillez-les en deux dans le sens de la longueur avant leur cuisson.

B

Couper l'extrémité des asperges. Déposer les asperges sur une plaque de cuisson et enrober légèrement d'huile. Assaisonner et cuire 5 minutes, au four préchauffé à 190 °C (375 °F). Réserver.

Badigeonner les quatre tranches de pain de pesto. Déposer la moitié du fromage sur deux tranches, disposer les asperges et recouvrir du reste de fromage. Refermer les sandwichs avec les deux autres tranches de pain.

Déposer les sandwichs dans un gril à sandwichs et faire cuire jusqu'à ce que le fromage soit bien fondu et le pain d'une belle couleur dorée. Servir aussitôt.

C

Un franc et nerveux muscadet. Château du Cléray, Muscadet Sèvre et Maine sur lie.

! **MON PLUS BEAU SOUVENIR D'ENFANCE** Jouer au hockey dans la cour de l'école. **MES PERSONNAGES PRÉFÉRÉS ÉTANT PETIT** Spirou et Tintin. **MON PLAT DE RÉCONFORT** Les *toasts* au beurre de pinottes !

J'étais en coulisse avec la clef de la ville, que j'allais remettre au bonhomme carnaval de mon village natal de Sainte-Catherine-de-la-Jacques-Cartier.

ROBITAILLE Comédien et animateur

Escalope de veau au Pernod et aux restes du frigo

Pour 4 personnes

A

- 1 bon rouge (pour commencer)
- 1 bon CD
- Un peu de farine
- 4 escalopes de veau
- Le jus d'une lime
- Un peu d'huile d'olive
- 1 noix de beurre
- 2 échalotes grises, pelées et émincées
- 375 ml (1 1/2 tasse) de champignons émincés
- 60 ml (1/4 tasse) de fromage parmesan frais, râpé
- 60 ml (1/4 tasse) de Pernod
- 60 ml (1/4 tasse) de crème à 35 %
- Quelques feuilles de basilic frais
- Des légumes verts et jaunes (ou ceux que vous aurez à portée de la main)

B

Je ne cuisine jamais seul, mais toujours en compagnie de mon frigo ! C'est mon meilleur ami. Sans lui, je suis dépourvu. Il m'inspire. Il est rempli d'idées et de bonnes intentions. De mon côté, je lui rends un service immense en le délestant de son contenu, sans quoi il me fait une scène. Je l'ai déjà laissé pour compte plusieurs mois d'affilée. Pour me faire payer mon faux bond, le salopard s'est fait nauséabond. J'ai compris. Depuis, on est devenus de réels copains. On prend soin l'un de l'autre.

Et quand on popote, c'est parce qu'on en a réellement le goût. Ce goût qui ravive les papilles et fait frémir les narines.

Que me propose aujourd'hui mon bien-aimé frigo ? Des escalopes de veau. Généreux de sa part... mais qu'est-ce que j'en fais ? J'ouvre au hasard un tiroir et voilà ce qu'il me tend : de la lime qui respire le soleil, des échalotes qui fleurent la campagne française, du parmesan qui affiche un air d'Italie, du basilic qui répand l'arôme du potager paternel et des champignons qui sentent... le frigo.

J'enfarine les escalopes d'un côté seulement, les retourne, les pique à la fourchette et, d'un geste viril, les arrose joyeusement de lime. Elles sont fin prêtes à sauter la clôture et à plonger dans l'huile et le beurre crépitants où frétillent depuis peu les échalotes émincées.

Je prends une lampée de rouge et augmente le volume de la chaîne stéréo. Il est temps de trancher les champignons exultants, soulagés d'avoir échappé à un compostage tragique et imminent.

Le veau est maintenant cuit comme un gangster pris au piège. Je le parsème de parmesan qui fondra à son contact, telle la belle méchante, devenue gentille, dans la scène finale d'un vieux James Bond. Ah, l'effet du vin !

! **MON PLUS BEAU SOUVENIR D'ENFANCE** Jouer dehors avec mes amis, été comme hiver.
MA FRAYEUR D'ENFANT J'avais une peur bleue des vaches !

Je retire les escalopes et les réserve dans des assiettes, mais laisse les échalotes se prélasser dans le poêlon. Elles ont eu chaud. Un petit verre de Pernod (1/4 tasse) leur fera grand bien. En cachette de ma blonde, j'y ajoute aussi le beurre et la crème, puis une bonne giclée de lime. Je déchire l'agrume et y balance les morceaux. Voilà, j'ai les mains libres. Je reprends une gorgée de rouge puis, au rythme de la musique endiablée, remue la sauce tout en grattant le fond du poêlon. Les champignons s'apprêtent à y faire trempette, mais la baignade sera brève, histoire de les garder fringants.

Je borde alors les escalopes au repos, avec cette sauce aussi chaude et enveloppante qu'un drap santé (après avoir soigneusement retiré les débris de lime). J'y étends des feuilles de basilic frais et y couche tout près quelques légumes verts et jaunes.

Ces restes de frigo apaiseront vos convives – qui souhaitent manger au plus vite et surtout que vous changiez la musique pour quelque chose de plus calme !

À votre toute première bouchée, fermez les yeux et ayez une tendre pensée pour cet ami lourdaud, un peu froid, mais toujours fidèle : votre *alter frigo*.

C Un blanc généreux aux accents du Sud. Château Roquebrun, Coteaux du Languedoc.

J'ai vécu mon enfance dans la joie. Ça se voit, non ?

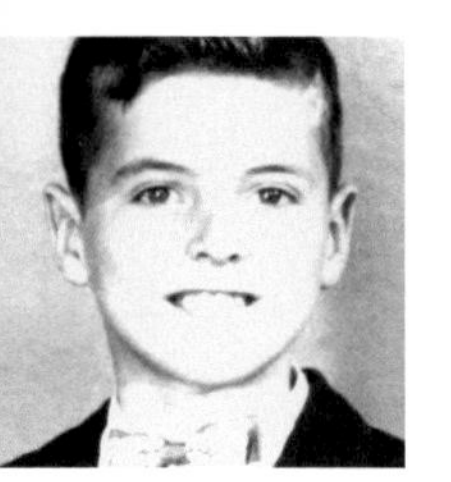

henri-Paul

ROUSSEAU Président du conseil et directeur général, Caisse de dépôt et de placement du Québec, et président de CDP Capital

Bouillabaisse

Pour 8 à 10 personnes

A

454 g (1 lb) de filet d'aiglefin

454 g (1 lb) de filet de morue

454 g (1 lb) de filet de sébaste (perche)

60 ml (1/4 tasse) d'huile d'olive

2 oignons pelés et hachés finement

2 gousses d'ail, pelées et hachées

3 branches de céleri, hachées finement

2 L (8 tasses) de jus de palourdes et de tomates (Clamato)

250 ml (1 tasse) d'eau (encore mieux si on utilise un fumet de poisson ou un vin blanc)

540 ml (19 oz) de tomates en dés, en conserve

5 ml (1 c. à thé) de feuilles de thym frais

1 feuille de laurier

Quelques pistils de safran

2 homards frais d'environ 570 g (1 1/4 lb) chacun, coupés en morceaux

454 g (1 lb) de pétoncles frais

225 g (1/2 lb) de crevettes décortiquées et déveinées (grosseur 26/30)

Sel et poivre du moulin

B

Couper l'aiglefin, la morue et le sébaste en morceaux d'environ 5 cm (2 po) de largeur. Réserver.

Dans une grande casserole, faire chauffer l'huile, à feu doux. Faire revenir l'oignon, l'ail et le céleri de 8 à 10 minutes.

Ajouter le jus de palourdes, l'eau et les tomates. Ajouter le thym, le laurier et le safran. Porter à ébullition, puis laisser mijoter 20 minutes, à feu doux et à couvert. Ajouter les homards.

Assaisonner l'aiglefin, la morue, le sébaste, les pétoncles et les crevettes, et les ajouter au bouillon. Faire cuire 10 minutes. Vérifier l'assaisonnement et servir aussitôt.

NOTE

On peut préparer le bouillon à l'avance et ajouter le poisson environ 10 minutes avant de servir.

C

Un rosé de Provence.
Achetez-en une caisse.
Roseline, Côtes de Provence rosé.

! **MON PLUS BEAU SOUVENIR D'ENFANCE** Mon premier voyage en train, de Coaticook à Montréal.
MON RÊVE DE BONHEUR Faire en sorte que la vie des plus pauvres soit un jour meilleure.

C'est en 1977, chez un collègue de l'Université Laval à Québec, que j'ai découvert la bouillabaisse. Toutefois, je n'ai appris l'origine de ce vocable que tout récemment. En fait, « bouillabaisse » est né de la contraction des verbes « bouillir » et « abaisser ». Ainsi, quand la préparation commence à bouillir, il faut baisser le feu ! Ce « bouillon de soleil », emblématique de la cuisine marseillaise, était au départ un plat de pêcheurs cuisiné sur la plage, dans un grand chaudron placé sur un feu de bois. Il se composait de poissons qui ne se vendaient pas sur le marché et qu'on ne pouvait cuire que de cette façon. Depuis 1977, je me suis amusé à modifier ma recette en pêchant mes idées çà et là au fil de mes pérégrinations culinaires...

Cette recette a été un *work in progress*. La première fois que j'ai fait griller des ris de veau sur le barbecue, je les avais d'abord tranchés et le résultat fut quelconque. La deuxième fois, j'ai décidé de les garder entiers. Nette amélioration ! La troisième fois, je les ai laissé mariner et franchement, mes invités ont bien aimé. La quatrième fois, je les ai préparés avec la même marinade pour mon ami André Besson, qui les a fort appréciés, sauf que... la cinquième fois, il s'est pointé avec sa vinaigrette – qu'il a versée sur les ris de veau au moment de servir – et alors, là... bravo ! La sixième fois... eh bien... il n'y a pas eu de sixième fois. Il ne restait plus de propane dans la bombonne.

C'était à l'époque où la cigarette nous donnait de l'assurance. Jusqu'à ce qu'elle ne soit que nuisance. Heureusement, je m'en suis débarrassé il y a 15 ans.

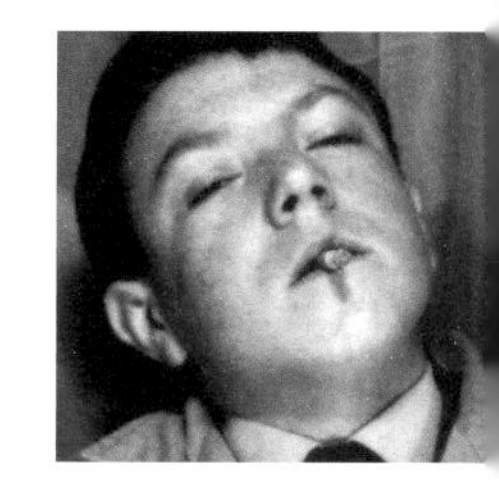

ROY Boucher, boucherie Slovenia

Mes ris de veau grillés sur le barbecue et la vinaigrette à l'échalote de mon ami André Besson

Pour 4 personnes

A

LES RIS DE VEAU

4 noix de ris de veau (choisir des ris de veau plats, sans alvéoles)

Le jus d'un citron

30 ml (2 c. à soupe) de moutarde de Dijon

1 gousse d'ail, pelée et hachée

10 ml (2 c. à thé) de feuilles de thym frais

Sel et poivre du moulin

LA VINAIGRETTE

30 ml (2 c. à soupe) de beurre

375 ml (1 1/2 tasse) d'échalotes grises, pelées et émincées finement

60 ml (1/4 tasse) de vinaigre de xérès

Sel et poivre du moulin

150 ml (2/3 tasse) d'huile de noix ou d'olive

60 ml (1/4 tasse) de ciboulette fraîche, hachée finement

B

LES RIS DE VEAU

Enlever le gras des ris. Mélanger le jus de citron, la moutarde, l'ail et le thym. Déposer les ris dans la marinade et bien les enrober. Couvrir et laisser mariner 2 heures.

Retirer les ris de veau de la marinade et assaisonner. Sur la grille préchauffée du barbecue, très chaude, déposer et saisir les ris de veau pendant 2 minutes. Réduire à intensité moyenne, puis faire griller de 7 à 8 minutes. Retourner les ris et poursuivre la cuisson de 7 à 8 minutes, jusqu'à ce qu'ils soient bien colorés.

LA VINAIGRETTE

Dans une poêle, faire chauffer le beurre à feu moyen-élevé et faire revenir les échalotes de 7 à 8 minutes, pour obtenir une coloration très légère. Réserver.

Dans un petit bol, mélanger le vinaigre, le sel et le poivre. Incorporer l'huile et bien mélanger. Ajouter les échalotes et réserver au chaud sur le coin du barbecue.

LA FINITION ET LA PRÉSENTATION

Ajouter la ciboulette à la vinaigrette. Si désiré, escaloper les ris, puis les déposer dans l'assiette. Napper de la vinaigrette xérès-échalotes.

C

Un accord osé : Amontillado Alvear, Montilla-Moriles. Un accord classique : Meursault ou Chassagne-Montrachet.

MON PLUS BEAU SOUVENIR D'ENFANCE La fête après les moissons dans ma Vendée natale. **MA FRAYEUR D'ENFANT** Les fourches ! **MES HISTOIRES PRÉFÉRÉES** Les bédés du Far-West : Kit Carson, Jim Canada, Buck Jones...

Que c'était bon de faire des mauvais coups avec mes frères!

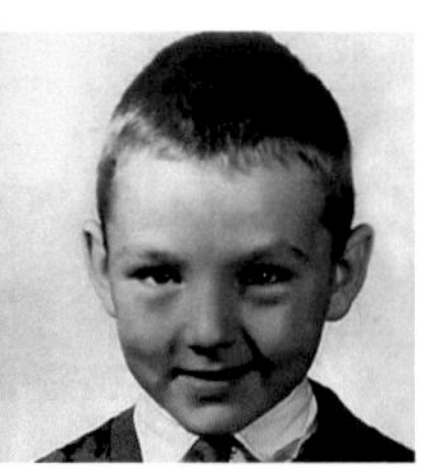

Gildor
ROY Clown

Crevettes à la «Oh non, j'ai oublié l'entrée!»

Pour 2 personnes

A

15 ml (1 c. à soupe) d'huile d'olive

6 grosses crevettes décortiquées et déveinées (grosseur 16/20)

2 échalotes grises, pelées et émincées

1 pincée de poivre rose concassé

1 pincée de piment de Cayenne

60 ml (1/4 tasse) de xérès

Sel de mer

LE MOT À LA BOUCHE

Le piment de Cayenne peut être remplacé par le *piment d'Espelette*, en provenance du pays basque et d'appellation d'origine contrôlée. Légèrement moins piquant, il relève subtilement le goût des crevettes. Mais la facture d'épicerie, elle, risque d'être un peu plus salée...

B

Dans une poêle, faire chauffer l'huile à feu élevé. Saler les crevettes et les déposer dans la poêle avec les échalotes. Faire sauter rapidement 2 minutes.

Ajouter le poivre rose et saupoudrer de piment de Cayenne. Déglacer au xérès et laisser réduire 30 secondes. Servir immédiatement, accompagné d'une petite salade de fenouil à l'orange ou d'une salade de julienne de légumes à la vinaigrette citronnée.

C

Un verre de xérès Fino, ou un joyeux blanc espagnol, Vina Sol Torres Penedès.

! **MON PLUS BEAU SOUVENIR D'ENFANCE** Mon père qui chantait dans l'auto, alors que nous étions en route pour l'Abitibi. **MA FRAYEUR D'ENFANT** La peur de tout le monde!

Ma recette, je l'ai faite par « accident ». J'avais réellement oublié l'entrée ! Préparée à la dernière seconde, cette entrée minute peut aussi être servie à l'heure et au moment qui vous chante. Le poivre rose, la pincée de Cayenne et la rasade de xérès parfument les *gambas* d'un effluve du Sud, d'un accent des îles. Pour apprécier pleinement ce petit plat en tête à tête, pourquoi ne pas écouter un peu de musique à saveur latine ?

J'adore la morue : un poisson à la conquête du monde ! Et quand je partage un plat de morue, typique de ma Gaspésie natale, je partage une partie de mon enfance. Immanquablement, une foule de souvenirs refont surface. Je repense à ma famille ainsi qu'à d'autres familles de pêcheurs, comme les Vigneault, pour qui la morue était le principal gagne-pain. Je songe au dur labeur, aux conditions difficiles. Enfin, je revois ma mère cuisant un mini-pâté spécialement pour le bébé gâté que j'étais. Alors, je prends le temps de savourer...

J'avais six ans. À titre de benjamin d'une famille de huit enfants, j'ai été extrêmement choyé.

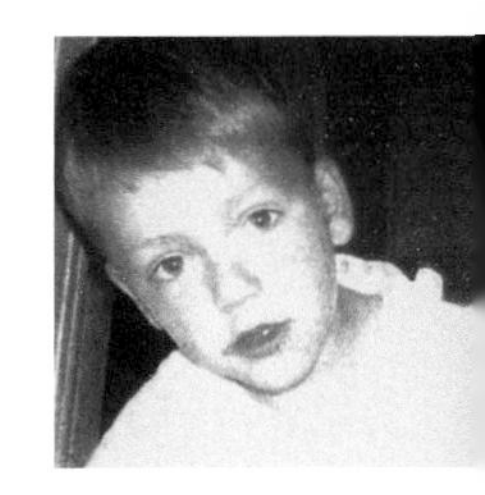

ST-PIERRE Acheteur-vendeur, poissonnerie La Mer

Pâté à la morue de Cap-Chat

Pour 6 personnes

A

LA FARCE

454 g (1 lb) de morue salée et désossée

1,5 kg (3 lb) de pommes de terre à chair jaune Yukon Gold

80 ml (1/3 tasse) de beurre

1 gros oignon pelé et émincé

3 gousses d'ail, pelées et hachées finement

Un peu d'herbes de Provence

125 ml (1/2 tasse) de lait

Sel et poivre du moulin

LA PÂTE

500 ml (2 tasses) de farine

10 ml (2 c. à thé) de levure chimique

Sel et poivre du moulin

60 ml (1/4 tasse) de saindoux ou de beurre

1 œuf

60 ml (1/4 tasse) d'eau froide

1 jaune d'œuf

B

LA FARCE

Dans un grand bol, couvrir la morue d'eau froide et faire dessaler au moins 24 heures, en changeant l'eau à deux ou trois reprises.

Laver les pommes de terre et les envelopper de papier d'aluminium. Cuire environ 1 heure au four préchauffé à 180 °C (350 °F) . Peler les pommes de terre et déposer la chair dans un bol. Écraser grossièrement à l'aide d'un pilon.

Égoutter la morue et couper en petits morceaux. Dans une poêle, à feu moyen, faire chauffer le beurre jusqu'à ce qu'il devienne noisette et ajouter l'oignon. Cuire environ 10 minutes. Incorporer la morue, l'ail et les herbes de Provence. Réduire à feu doux et cuire environ 20 minutes en remuant quelquefois.

Ajouter la morue aux pommes de terre et bien mélanger. Incorporer le lait et vérifier l'assaisonnement.

LA PÂTE

Dans un grand bol, mélanger la farine, la levure, le sel, le poivre et le saindoux. Incorporer l'œuf, puis l'eau, jusqu'à l'obtention d'une pâte lisse. Couvrir et laisser reposer au réfrigérateur.

LA FINITION

Séparer la pâte en deux parties, soit environ 2/3 et 1/3. Abaisser la pâte, puis déposer la plus grande partie dans un moule de 2 L (8 tasses). Déposer la farce sur l'abaisse et recouvrir de l'autre abaisse. On peut utiliser les restes de la pâte pour décorer à sa guise.

Mélanger le jaune d'œuf avec 30 ml (2 c. à soupe) d'eau et badigeonner le pâté. Cuire de 30 à 35 minutes au four préchauffé à 180 °C (350 °F). Sortir le plat du four et déguster.

C

Un vin blanc chatoyant. Château de Rochemorin, Pessac-Léognan.

!

MON PLUS BEAU SOUVENIR D'ENFANCE Les grosses tempêtes de neige gaspésiennes. **MON PERSONNAGE PRÉFÉRÉ** Fanfreluche, maintenant une cliente à la poissonnerie et une amie. Que le monde est petit!

Je trouvais que ma mère m'habillait drôlement. J'ai compris plus tard, en ayant mes propres enfants, ce qu'elle faisait. Elle était fière de moi et voulait toujours que je sois le plus présentable possible.

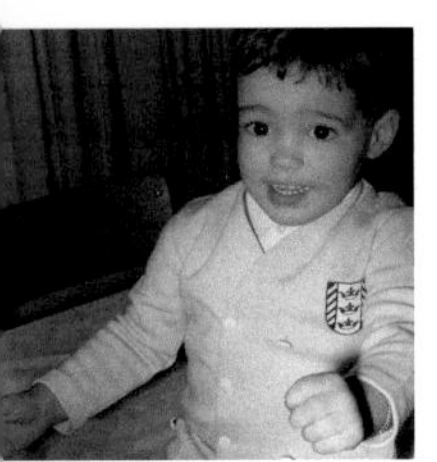

Joey SAPUTO Président, Jolina Capital

Crème brûlée au fromage bleu

Pour 6 personnes

A

120 g (4 oz) de fromage bleu Bleubry de la fromagerie Cayer

150 ml (2/3 tasse) de lait à 3,25 %

250 ml (1 tasse) de crème à 35 %

5 jaunes d'œufs

Sel et poivre du moulin

60 ml (1/4 tasse) de sucre

B

Enlever la croûte du fromage. Dans une casserole moyenne, porter le lait à ébullition et ajouter graduellement le fromage en remuant constamment. Une fois le fromage fondu, ajouter la crème. Cuire à feu doux environ 10 minutes, en remuant constamment.

À l'aide d'un fouet, battre les jaunes d'œufs environ 1 minute. Saler et poivrer. Incorporer la préparation de crème aux jaunes d'œufs et bien mélanger.

Verser dans 6 moules à crème brûlée (petits plats en céramique d'environ 2,5 cm [1 po] de hauteur et d'environ 10 cm [4 po] de diamètre). Placer les moules dans un grand plat allant au four. Verser de l'eau chaude jusqu'à la mi-hauteur des moules.

Faire cuire environ 20 minutes au four préchauffé à 150 °C (300 °F). Les crèmes doivent être fermes au toucher. Laisser refroidir légèrement, puis recouvrir chaque petit plat de papier film. Faire refroidir 3 heures ou toute une nuit, au réfrigérateur.

Au moment de servir, sortir les crèmes du réfrigérateur et saupoudrer de sucre pour recouvrir complètement la crème. À l'aide d'un chalumeau ou d'un fer à crème brûlée, faire caraméliser le sucre en le chauffant jusqu'à ce qu'il fonde et devienne couleur caramel foncé. La crème doit demeurer froide à l'intérieur et le caramel doit être légèrement cassant. Attendre que le caramel refroidisse environ 2 minutes, puis servir aussitôt.

C

Un porto Tawny 20 ans d'âge. Taylor Fladgate, Tawny 20 ans.

! **MON PERSONNAGE PRÉFÉRÉ ÉTANT PETIT** Tasmanian Devil. **CE QUE M'INSPIRE LE MOT « GOURMAND »** Se retrouver dans une cuisine avec des amis et grignoter tout ce qui peut nous tomber sous la main !

Mon frère et moi avons été invités, avec d'autres gens d'affaires, à participer à un dîner-bénéfice organisé par le Ferreira Café au profit de la Fondation de l'Hôpital Sainte-Justine. Il nous fallait présenter un plat de notre choix et, le soir de l'événement, nous nous sommes tour à tour retrouvés à la queue de la poêle sous la supervision des deux chefs du restaurant. La crème brûlée de mon frère Lino avait conquis l'assemblée à un point tel que je lui ai demandé, pour le présent ouvrage, de me « refiler » sa recette, que voici. Une surprenante harmonie de saveurs.

Ces cheveux longs m'ont suivi jusqu'à mes photos de jeune pdg des années 70 !

SAUVAGEAU Directeur, bibliothèque de l'Assemblée nationale

Dinde festive à la farce aux marrons

Pour environ 15 personnes

LE PAIN DE MAÏS

1 tasse (250 ml) de farine

300 ml (1 1/4 tasse) de semoule de maïs

5 ml (1 c. à thé) de sel

20 ml (4 c. à thé) de levure chimique

300 ml (1 1/4 tasse) de lait

2 œufs

15 ml (1 c. à soupe) de miel

30 ml (2 c. à soupe) de beurre

LA FARCE

125 ml (1/2 tasse) de beurre

500 ml (2 tasses) d'oignons pelés et hachés

4 branches de céleri, coupées en cubes

2 gousses d'ail, pelées et hachées

2 pommes pelées et coupées en cubes

454 g (1 lb) de chair à saucisse

560 g (20 oz) de purée de marron nature

12 marrons cuits et coupés en dés

Le pain de maïs, émietté

2 œufs

250 ml (1 tasse) de calvados ou de vin blanc

60 ml (1/4 tasse) de persil plat, haché

15 ml (1 c. à soupe) de sauge fraîche, hachée

15 ml (1 c. à soupe) de romarin frais, haché

15 ml (1 c. à soupe) de feuilles de thym frais

Sel et poivre du moulin

LA DINDE

1 dinde de 7 à 8 kg (15 à 17 lb)

Quelques noix de beurre

Sel et poivre du moulin

B

LE PAIN DE MAÏS

Dans un grand bol, mélanger la farine, le maïs, le sel et la levure. Dans un autre bol, mélanger le lait, les œufs et le miel. Incorporer aux ingrédients secs.

Ajouter le beurre et mélanger délicatement. Verser dans un moule carré de 20 cm (8 po), préalablement beurré et enfariné. Cuire de 25 à 30 minutes au four préchauffé à 180 °C (350 °F). Démouler, laisser refroidir, puis émietter le pain en morceaux. Réserver.

LA FARCE

Dans une grande poêle, faire fondre le beurre à feu moyen. Ajouter les oignons, le céleri, l'ail et les pommes et cuire 5 minutes. Ajouter la chair à saucisse, bien mélanger et cuire environ 10 minutes. Retirer du feu et y ajouter la purée de marron, les marrons, le pain de maïs émietté et les œufs. Ajouter le calvados, les herbes et assaisonner. Bien mélanger.

!

MON PLUS BEAU SOUVENIR D'ENFANCE Les soins attentifs que me prodiguait ma mère.
MON PERSONNAGE PRÉFÉRÉ ÉTANT PETIT Mowgli dans *Le Livre de la jungle*.

LA DINDE

Laver la dinde à l'eau vinaigrée et bien l'assécher. Enlever la fourchette* (c'est ce petit os en « Y » qu'on laissait sécher pour ensuite le casser avec le petit doigt en faisant un vœu, avec une autre personne).

Détacher la peau des poitrines en glissant délicatement la main pour y décoller la membrane. Introduire la farce (petit secret : tremper la main dans l'eau froide pour que la viande n'y colle pas). Bien répartir la farce entre la chair et la peau et cela, jusqu'à environ 2,5 cm (1 po) de la cavité du cou. Bien recouvrir la farce de la peau. Farcir l'intérieur de la dinde avec le reste de la farce.

Placer la dinde dans une lèchefrite ou une rôtissoire d'au moins 4 cm (1 1/2 po) de hauteur. Assaisonner et parsemer de noix de beurre. Cuire au four préchauffé à 110 °C (225 °F) environ 8 heures en arrosant toutes les 30 minutes avec le jus de cuisson. Lorsque la peau est bien rôtie, couvrir la dinde.

Servir avec une purée de pommes de terre et céleri-rave.

La farce qui accompagne le plat se présente comme un accompagnement consistant. Elle est tout autant recommandée pour l'oie d'élevage.

*Pour détacher la « fourchette », il suffit de décoller la chair de l'os à l'aide d'un couteau. En faisant basculer l'ustensile, l'os se retire ensuite facilement. Une fois les petits os enlevés, il est plus facile d'obtenir des tranches parfaites.

C Un grand rouge pour les festivités.
Gigondas, Domaine Santa Duc.

Cette dinde aux marrons est sans contredit l'un des fleurons de ma cuisine. Mes amis se déplacent des quatre coins de la province pour la voir et la déguster. Chaque Noël, ils la retrouvent tout aussi savoureuse que dodue, car la farce aux marrons – et c'est là que réside la particularité de ma recette – est emprisonnée entre la peau et la chair, laquelle conserve tout son moelleux et toute sa finesse.

Chaque fois que ma mère montrait ma photo de 5e année, elle prenait soin de souligner que mon chandail était propre au moment de mon départ pour l'école. Ne vous surprenez pas si jamais vous recevez l'appel d'une dame qui se défend bien d'avoir laissé partir son fils, le chandail tout taché...

SCOTT Scénariste

Bœuf Strogonoff

Pour 4 personnes

A

15 ml (1 c. à soupe) d'huile d'olive

60 ml (1/4 tasse) de beurre

675 g (1 1/2 lb) de contre-filet de bœuf, coupé en lanières

3 oignons pelés et émincés

454 g (1 lb) de champignons émincés

15 ml (1 c. à soupe) de farine

5 ml (1 c. à thé) de paprika

5 ou 6 tomates émondées et coupées en cubes

2 gousses d'ail, pelées et hachées

60 ml (1/4 tasse) de cognac

80 ml (1/3 tasse) de vin blanc sec

250 ml (1 tasse) de fond brun de veau

30 ml (2 c. à soupe) de moutarde de Dijon

125 ml (1/2 tasse) de crème à 35 %

60 ml (1/4 tasse) de persil plat, haché

Sel et poivre du moulin

B

Dans une grande poêle, faire chauffer l'huile et 15 ml (1 c. à soupe) de beurre, à feu élevé. Saisir le bœuf 2 minutes. Assaisonner, retirer de la poêle et réserver. (Si la poêle n'est pas suffisamment grande, saisir le bœuf en deux étapes.)

Ajouter 45 ml (3 c. à soupe) de beurre à la poêle et faire revenir les oignons à feu moyen pendant 10 minutes. Ajouter les champignons et poursuivre la cuisson 5 minutes. Ajouter la farine, le paprika et bien mélanger. Ajouter les tomates, l'ail et assaisonner. Cuire environ 5 minutes. Déglacer au cognac, ajouter le vin et le fond de veau. Laisser mijoter doucement 10 minutes. Ajouter la viande réservée.

Dans un petit bol, mélanger la moutarde et la crème, puis ajouter à la préparation de bœuf. Ajouter le persil, vérifier l'assaisonnement et bien mélanger. Servir accompagné de tagliatelles.

C

Un grand rouge séducteur.
Pommard ou Beaune Premier cru.

! **MA FRAYEUR D'ENFANT** Parler en public. J'avais aussi très peur qu'un monstre caché sous mon lit vienne me manger la nuit. L'idée de me faire manger par un monstre en public m'était aussi particulièrement effrayante.

Pour emberlificoter le jeune médecin dans *La grande séduction*, les gens du village de Sainte-Marie-la-Mauderne poussent l'opération de charme jusqu'à lui préparer du bœuf Strogonoff – son plat de réconfort –, en plus de s'adonner au cricket et de s'enticher de jazz fusion – deux de ses dadas. Comment ce mets s'est-il retrouvé dans mon scénario ? Tout simplement parce que la sonorité du mot m'amusait !

On m'a servi cette côte de veau lors d'une soirée d'été magique que j'avais passée en très bonne compagnie, à la terrasse d'un resto du centre-ville de Montréal. Depuis, je renouvelle le plaisir que j'avais alors éprouvé en la servant à mon tour aux gens que j'aime.

Les dimanches après-midi, la famille au grand complet se retrouvait chez mon grand-père pour y faire de la crème glacée. S'ensuivait le repas du soir où les grandes tablées, presque improvisées, m'enchantaient.

SICOTTE Comédien

Ma côte de veau grillée

Pour 4 personnes

A

250 ml (1 tasse) de sauce soya japonaise

Le jus de 2 limes

15 ml (1 c. à soupe) de gingembre frais, râpé

5 à 10 ml (1 à 2 c. à thé) de *sambal oelek* (purée piquante à base de piments)

1 gousse d'ail, pelée et émincée

4 côtes de veau d'environ 2,5 cm (1 po) d'épaisseur

B

Mélanger la sauce soya, le jus de lime, le gingembre, le *sambal oelek* et l'ail.

Pour faire mariner le veau, verser la marinade dans un grand sac de plastique de type Ziploc et y déposer les côtes.

Déposer le sac à plat dans le réfrigérateur et laisser mariner de 1 à 2 heures, pas plus longtemps, en prenant soin de retourner à la mi-temps.

Faire griller de chaque côté sur le charbon de bois, à feu très chaud, environ 5 minutes. Accompagner d'une salade de fines laitues et de légumes grillés.

C

Un rouge du Nouveau Monde, charnu sans être tannique. Cabernet Sauvignon, Don Maximiano, Errazuriz, Aconcagua.

!

MON PLUS BEAU SOUVENIR D'ENFANCE Conduire le «camion de lait» de mon père. **MON RÊVE DE BONHEUR** Passer l'été sur la côte italienne, entouré de mes enfants, ma blonde et Pupuce, notre chatte.

C'est lors d'un voyage en Gaspésie, avec mes parents, que j'ai commencé à retenir mes cheveux avec des lunettes de soleil. Ce que je fais encore aujourd'hui !

Julie SNYDER Animatrice et productrice

Mon Julie-burger

Pour 1 personne

A

Un peu de beurre

Quelques champignons émincés

1 tranche de fromage au choix

1 boulette végétarienne aux noix ou au tofu

1 pain hamburger de blé entier

Un peu de mayonnaise (la mayonnaise sans œufs est très bonne)

Un peu de moutarde de Dijon

Un peu de luzerne

2 ou 3 tranches de tomate

Quelques feuilles de basilic frais

B

Dans une poêle, faire fondre le beurre et faire sauter les champignons. Assaisonner.

Pendant que les champignons « sautent », déposer une tranche de fromage sur la boulette et faire chauffer 40 secondes au micro-ondes à haute intensité.

Déposer ensuite la boulette dans la poêle pour la rendre plus croustillante.

Faire griller le pain, dans la poêle ou au grille-pain.

Badigeonner généreusement de mayonnaise et d'un peu de moutarde de Dijon les deux faces intérieures du pain. Garnir ensuite de luzerne, de tomates et de basilic.

Déposer la boulette et recouvrir de champignons. Refermer le hamburger avec l'autre moitié de pain et fixer à l'aide d'une brochette de bambou.

C

C'est le temps de déboucher une bonne bière vive et fraîche.

! **MON PLAT DE RÉCONFORT** Le chocolat au lait. **MON VICE CULINAIRE** Le chocolat au lait. **CE QUE M'INSPIRE LE MOT « GOURMAND »** Le chocolat au lait. **MON RÊVE DE BONHEUR** Du chocolat au lait qui ne ferait pas grossir.

Pain
Champignons
Moutarde et mayonnaise
Fromage
Boulette végétarienne
Basilic
Tomate
Luzerne
Moutarde et mayonnaise
Pain

En 1999, j'avais accepté la présidence d'honneur d'un événement sur les « arts gourmands » à Sainte-Adèle. Des écrivains, des chefs et des sommeliers nous faisaient partager leurs passions. La fête a duré trois jours. Je m'étais inscrit à un atelier sur les fromages et j'ai été séduit par cette recette de chaource. Mon enthousiasme fut tel que le chef invité m'a généreusement livré son « secret ».

C'est la photo «officielle» de mon enfance sur laquelle ma mère m'a figé dans le temps.

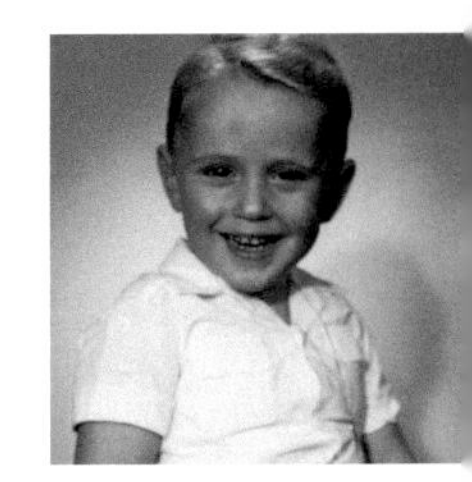

SUREAU Vice-président exécutif, Transat A.T.
Président, Consultour

Gratin de chaource et de pêches, cocktail au champagne

Pour 2 personnes

A

LE GRATIN

1 fromage chaource

30 ml (2 c. à soupe) de lait

Quelques feuilles d'estragon frais

2 pêches blanches

60 ml (1/4 tasse) de beurre

Poivre du moulin

LE COCKTAIL

1 bouteille de champagne

Quelques framboises

B

LE GRATIN

Retirer la croûte du fromage. Couper la pâte en morceaux et déposer dans un cul-de-poule. Ajouter le lait et faire chauffer dans un bain-marie à feu très doux pendant que Marie prend son bain. La sauce doit devenir onctueuse. Additionner d'un tour de moulin de poivre. À l'aide de ciseaux, tailler quelques feuilles d'estragon et les ajouter à la préparation.

Peler les pêches et les couper en quartiers. Dans une poêle, faire fondre le beurre à feu moyen. Déposer les quartiers de pêche et les faire cuire environ 5 minutes. Répartir dans deux petits plats de cuisson.

Napper les pêches de fromage fondu et cuire 3 minutes au four préchauffé à 180 °C (350 °F). Faire ensuite colorer 1 minute sous le gril du four.
Servir bien chaud.

LE COCKTAIL

Sortir les flûtes à champagne du congélateur et les remplir d'un bon champagne. Ajouter deux ou trois framboises par verre. C'est simple et tout à fait délectable.

LE MOT À LA BOUCHE

Le *chaource* et le champagne font bon ménage, puisqu'ils sont tous deux issus de la région de Champagne. Et le *chaource* est aussi une A.O.C.: appellation d'origine contrôlée... et chaleureuse!

C

Ne réinventez pas la roue.
Un champagne Pol Roger Brut.

!

MON PLUS BEAU SOUVENIR D'ENFANCE Accompagner mon père dans ses tournées professionnelles. **MA FRAYEUR D'ENFANT** Me perdre en forêt!

L'honorable Lise THIBAULT Lieutenant-gouverneur du Québec

Le couscous de grand-maman Lise

Pour 4 à 6 personnes

A

LE COUSCOUS

1,5 L (56 oz) de tomates épicées italiennes, en conserve

1 kg (2 1/4 lb) de pilons de poulet (de 8 à 10 pilons)

12 carottes avec leurs fanes, pelées et coupées en deux

1 navet pelé et coupé en quartiers

1 gousse d'ail, pelée et hachée finement

15 ml (1 c. à soupe) d'épices à couscous (muscade, cannelle, coriandre et cumin moulus)

6 branches de céleri, coupées en morceaux de 2,5 cm (1 po) de largeur

1/2 brocoli coupé en petits bouquets

Sel et poivre du moulin

LA SEMOULE

375 ml (1 1/2 tasse) de bouillon de poulet

250 ml (1 tasse) de semoule de blé, moyenne

30 ml (2 c. à soupe) de beurre

B

LE COUSCOUS

Dans une grande casserole, déposer les tomates et les pilons de poulet, préalablement assaisonnés. Couvrir et cuire 1 heure à feu doux en prenant soin de tourner les pilons à la mi-cuisson.

Ajouter les carottes, le navet, l'ail et les épices et poursuivre la cuisson à couvert pendant 20 minutes. Ajouter le céleri, le brocoli et faire cuire de 8 à 10 minutes.

LA SEMOULE

Dans une casserole moyenne, porter le bouillon à ébullition et ajouter la semoule. Retirer du feu et bien mélanger à la fourchette. Assaisonner, ajouter le beurre et bien mélanger. Couvrir et laisser reposer environ 5 minutes, ou jusqu'à ce que la semoule soit tendre.

C

Un rouge souple.
Château Kefraya, Liban.

MON PLUS BEAU SOUVENIR D'ENFANCE Les séjours chez mes grands-parents où tout était si simple, si bon. **MA FRAYEUR D'ENFANT** Le décès d'êtres aimés, particulièrement mes parents et mes grands-parents.

Le jour où j'ai pris possession de ma résidence actuelle, à Saint-Hippolyte, j'ai offert une portion de couscous à toutes les personnes présentes. La réception, qui s'est faite en toute simplicité et à la bonne franquette, se voulait avant tout une façon d'exprimer ma reconnaissance envers ceux et celles qui m'avaient aidée lors du déménagement... lequel n'avait rien eu d'une corvée !

Comme la plupart de mes recettes, celle-ci est née de l'urgence de cuisiner un mets le plus rapidement possible avec les aliments qui s'offrent à moi dans le garde-manger et le frigo. La nécessité, mère de l'invention, vous dites ? Oui, madame ! Qui plus est, c'est bon, le parfum est irrésistible et réconfortant, la maisonnée adore, c'est gagné !

Les vacances approchaient et je m'apprêtais à découvrir un tout nouvel univers : le camp musical du lac Simon. Ma mère et mon frère Daniel m'y ont amenée en me disant : « Tu vas être bien ici… ». Ils ont eu raison !

TROTTIER Journaliste-reporter et chroniqueur

Soupe aux lentilles et au riz basmati

Pour 6 à 8 personnes

A

- 30 ml (2 c. à soupe) d'huile d'olive
- 15 ml (1 c. à soupe) de beurre
- 5 ou 6 gousses d'ail, pelées et hachées
- 1 gros oignon jaune, pelé et émincé
- 15 ml (1 c. à soupe) de cumin moulu
- 125 ml (1/2 tasse) de vin blanc
- 3 L (12 tasses) de bouillon de poulet
- 250 ml (1 tasse) de lentilles vertes
- 125 ml (1/2 tasse) de riz basmati
- 1/2 botte de coriandre fraîche, hachée
- 4 tomates italiennes, coupées en dés
- Sel et poivre du moulin

B

Dans une grande casserole, faire chauffer l'huile et le beurre à feu moyen. Ajouter l'ail, l'oignon, le cumin et faire revenir 5 minutes. Mouiller avec le vin blanc, porter à ébullition et laisser mijoter 2 minutes pour faire évaporer l'alcool. Incorporer ensuite le bouillon de poulet, poivrer et porter à ébullition. Ajouter les lentilles, réduire à feu doux et laisser mijoter 15 minutes, à couvert.

Ajouter le riz et poursuivre la cuisson 30 minutes, à couvert. Assaisonner, ajouter la coriandre et les tomates, bien mélanger et servir aussitôt.

C

Ce plat réconfortant est difficile à marier avec un vin, en raison du choc des liquides chaud et froid.

MON PLUS BEAU SOUVENIR D'ENFANCE Mon grand frère Pierre et moi étions allés patiner, par une belle nuit de Noël, sur la rivière Sainte-Anne, qui réfléchissait comme un miroir. C'était féerique !
MES PERSONNAGES PRÉFÉRÉS ÉTANT PETITE Bobino et Bobinette.

Je n'avais pas simplement l'âme d'un futur entrepreneur, j'avais aussi la fibre d'un artiste. Il fallait m'entendre chanter dans les soirées!

Michel

TRUDEL Président, Locations Michel Trudel

Napoléon de chèvre et de betteraves

Pour 4 personnes

A

3 betteraves moyennes

250 ml (1 tasse) de vinaigre balsamique

250 g (9 oz) de fromage de chèvre Capriny

5 ml (1 c. à thé) de feuilles de thym frais

30 ml (2 c. à soupe) de basilic frais, ciselé

30 ml (2 c. à soupe) d'huile d'olive

280 g (10 oz) de bébés épinards

Sel et poivre du moulin

B

Laver les betteraves et les envelopper dans une feuille de papier d'aluminium. Cuire environ 45 minutes au four préchauffé à 190 °C (375 °F), ou jusqu'à ce qu'elles soient tendres. Retirer du four, laisser refroidir, peler et couper en rondelles d'environ 0,5 cm (1/4 po) d'épaisseur.

Pendant ce temps, dans une casserole, faire réduire le vinaigre balsamique afin d'en obtenir environ 60 ml (1/4 tasse) ou jusqu'à ce qu'il devienne sirupeux. Réserver.

Mélanger le fromage, le thym et le basilic. Assaisonner et bien mélanger. À l'aide d'une pellicule plastique, former un rouleau de même diamètre que celui des rondelles de betterave. Réfrigérer environ 45 minutes.

Tailler le rouleau de fromage en tranches d'environ 0,5 cm (1/4 po) d'épaisseur. Déposer 4 rondelles de betterave sur le plan de travail. Superposer d'une tranche de fromage, puis répéter les opérations pour obtenir trois étages de betterave et deux de fromage. Réserver.

Dans une grande poêle, faire chauffer l'huile à feu moyen. Déposer les épinards, les assaisonner et faire cuire environ 2 minutes pour les faire tomber.

Au centre des quatre assiettes, répartir les épinards et y déposer les napoléons. Tracer un cordon de vinaigre balsamique réduit tout autour et servir.

C

Un vin de Sauvignon, vif et pimpant. Sancerre, Domaine La Moussière.

! **MON PLUS BEAU SOUVENIR D'ENFANCE** Le premier gâteau aux tomates que j'ai fait avec ma grand-mère. **MA FRAYEUR D'ENFANT** Le bonhomme Sept Heures.

La première fois que je me suis appliqué à préparer ce plat, j'ai dû quitter la maison précipitamment à la suite d'un appel urgent. À mon retour, mes napoléons avaient disparu. Où diable étaient-ils passés ? J'amorce alors un travelling avant puis, du regard, j'effectue un mouvement panoramique jusqu'à ce que je zoome sur Benji (mon fidèle compagnon) qui, tapi sur son tapis, me fixait en contre-plongée, penaud mais repu !

Cette photo me rappelle tous les bons moments que j'ai passés avec mon cousin Daniel.

VERVILLE Humoriste et imitateur

Cari d'agneau indien aux abricots

Pour une famille tricotée serré

A

- 30 ml (2 c. à soupe) d'huile d'olive
- 1 gros oignon pelé et émincé
- 3 gousses d'ail, pelées et hachées
- 1,5 kg (3 lb) d'agneau du Québec, coupé en gros cubes
- 30 ml (2 c. à soupe) de paprika
- 30 ml (2 c. à soupe) de cumin moulu
- 30 ml (2 c. à soupe) de coriandre moulue
- 30 ml (2 c. à soupe) de curcuma
- 500 ml (2 tasses) de bouillon de poulet
- 1 feuille de laurier
- 1 bâton de cannelle d'environ 8 cm (3 po) de long
- Quelques pistils de safran, infusés dans un peu d'eau
- 540 ml (19 oz) de pois chiches, rincés et égouttés
- 12 à 15 abricots secs
- Quelques feuilles de coriandre fraîche
- Sel et poivre du moulin

B

Dans une grande poêle, faire chauffer l'huile d'olive à feu moyen et faire revenir l'oignon et l'ail jusqu'à ce qu'ils soient dorés.

Ajouter l'agneau, le paprika, le cumin, la coriandre et le curcuma. Faire revenir de 7 à 8 minutes, ou jusqu'à ce que l'agneau soit bien rissolé. Assaisonner.

Ajouter le bouillon, la feuille de laurier et le bâton de cannelle. Porter à ébullition et laisser mijoter 1 heure, à couvert et à feu doux.

Ajouter le safran, les pois chiches et les abricots. Bien mélanger et poursuivre la cuisson de 20 à 30 minutes.

Servir avec un bon riz basmati parfumé à la cardamome, un légume vert et des *pappadums* (galettes croustillantes vendues dans les épiceries indiennes). Garnir de quelques feuilles de coriandre fraîche.

C

Un rouge charnu, au caractère épicé. Malbec Lujan de Cuyo, Trapiche.

! **MON PLUS BEAU SOUVENIR D'ENFANCE** Lorsque nous nous rendions au chalet et que nous couchions à la belle étoile dans la boîte du camion. **MES PERSONNAGES PRÉFÉRÉS ÉTANT PETIT** Sol et Gobelet.

Je ne cuisine pas beaucoup, mais quand je m'y mets, il m'arrive la plupart du temps d'explorer des saveurs nouvelles. La recette que je vous propose, je l'ai servie lors d'un repas copieux où nous étions trois familles réunies. Je ne vous cacherai pas que j'appréhendais la réaction de nos gourmets en herbe. Les enfants sont peu enclins à apprécier les mets relevés qui les éloignent trop de leur quotidien. À mon grand ravissement, mon cari d'agneau n'a pas fait vieux os, tant chez les enfants que chez les adultes. Je m'en réjouis encore : ce fut l'un de mes grands succès de l'été 2001 !

Le choix de cette recette révèle une bizarrerie de mon caractère : c'est le type de plat que je mange seul au restaurant. La salade tiède de foies de même que le tartare. Je ne sais pas pourquoi. C'est comme ça.

Le photographe s'évertuait à me faire sourire avec des blagues niaises et infantilisantes. Buté, j'avais strictement refusé de dévoiler ma dentition en mutation – lire : pleine de trous.

VIGNEAULT Écrivain

Salade tiède de foies de volaille à la réduction de porto et orange

Pour 2 personnes

A

- 15 ml (1 c. à soupe) d'huile d'olive
- 1 noix de beurre
- 300 g (10 oz) de foies de volaille (de poulet ou le summum : de pintade)
- 250 ml (1 tasse) d'échalotes grises, pelées et émincées
- 30 ml (2 c. à soupe) de vinaigre de vin rouge
- 30 ml (2 c. à soupe) de zeste d'orange, haché finement
- 175 ml (3/4 tasse) de porto LBV
- Le jus d'une orange
- Fines laitues mélangées (choisir un mélange croquant et passablement amer ; un mesclun fera généralement l'affaire)
- 60 ml (1/4 tasse) de pistaches hachées
- Quelques fines tranches d'orange (facultatif) (je préfère le goût plus complexe d'une orange sanguine, en saison)
- Un peu de cerfeuil frais ou persil plat, haché (facultatif)
- Sel et poivre du moulin

B

Dans une grande poêle, faire chauffer l'huile et le beurre à feu moyen-élevé. Déposer les foies et les poêler environ 2 minutes. Les retourner, puis poursuivre la cuisson 2 minutes. Assaisonner et retirer de la poêle. Réserver au four préchauffé à 150 °C (300 °F). Ils finiront ainsi de cuire un brin.

Ajouter un trait d'huile à la poêle et faire cuire les échalotes pour leur donner une couleur dorée. Déglacer au vinaigre et ajouter le zeste. Incorporer le porto, le jus d'orange et le jus de cuisson des foies. Laisser réduire environ de moitié.

Disposer les laitues dans les assiettes, arroser d'huile d'olive et de quelques gouttes de vinaigre. Assaisonner, puis déposer les foies sur les laitues (chichi supplémentaire : trancher préalablement les foies en lamelles).

Napper de la réduction et saupoudrer de pistaches. Garnir de tranches d'orange et de cerfeuil haché.

C

Un vin rouge léger, à boire à grandes lampées. Beaujolais, Fleurie La Madonne, Louis Tête.

! **MON PLUS BEAU SOUVENIR D'ENFANCE** La pêche à la morue avec mon père, malgré le mal de mer, l'ennui et les lignes qui s'emmêlaient. **MES PERSONNAGES PRÉFÉRÉS ÉTANT PETIT** Goldorak et Bob Morane.

J'ai bien ri la première fois que j'ai vu cette photo. J'avais vraiment l'air d'un «petit riche»!

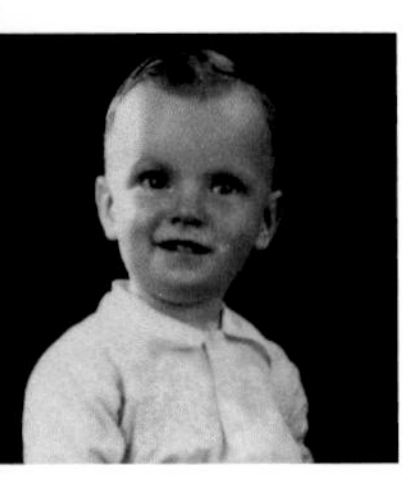

WALSH Bluesman

Acras de morue à la coriandre fraîche

Donne 24 bouchées

A

- 454 g (1 lb) de morue salée
- 2 pommes de terre Yukon Gold, entières, non pelées
- 45 ml (3 c. à soupe) d'huile d'olive
- 60 ml (1/4 tasse) de crème à 35 %
- 1 petit oignon jaune, pelé et haché finement
- 2 gousses d'ail, pelées et hachées finement
- 45 ml (3 c. à soupe) de farine
- 2 œufs, blancs et jaunes séparés
- 45 ml (3 c. à soupe) de coriandre fraîche, hachée
- Poivre du moulin
- Huile d'arachide pour la friture

B

Dans un bol, faire tremper la morue 8 heures dans une eau froide, en prenant soin de changer l'eau à deux ou trois reprises.

Dans une casserole, déposer les pommes de terre et couvrir d'eau froide. Porter à ébullition et faire cuire de 30 à 40 minutes, à couvert, ou jusqu'à ce que les pommes de terre soient tendres. Égoutter, peler et réduire en purée. Ajouter 30 ml (2 c. à soupe) d'huile d'olive et la crème. Poivrer et réserver.

Égoutter la morue et la déposer dans une casserole. Recouvrir d'eau froide, porter à ébullition, puis laisser mijoter à couvert de 15 à 20 minutes, à feu doux, ou jusqu'à ce que la morue soit tendre. Retirer la morue de l'eau, puis la laisser refroidir légèrement. Enlever la peau et les arêtes. À l'aide d'une fourchette, émietter la chair et réserver.

Dans une petite poêle, faire chauffer 15 ml (1 c. à soupe) d'huile d'olive à feu moyen. Faire revenir l'oignon environ 3 minutes, ajouter l'ail et poursuivre la cuisson 1 minute. Retirer du feu et réserver.

Mélanger la purée de pommes de terre, la morue, l'oignon et l'ail, la farine, les jaunes d'œufs et la coriandre. Poivrer et bien mélanger. Battre les blancs jusqu'à l'obtention de pics fermes, puis les incorporer délicatement à la préparation.

Faire chauffer l'huile d'arachide à 190 °C (375 °F) et faire frire en petites quantités de 15 ml (1 c. à soupe), jusqu'à l'obtention d'une belle couleur dorée, en prenant soin de retourner les acras à la mi-cuisson. Égoutter sur du papier absorbant et servir.

Unforgettable !

C

Faites chanter votre verre avec le porto blanc Cachucha d'Offley ou optez pour une bonne bière froide.

! **MA FRAYEUR D'ENFANT** Je m'étais égaré sur le site d'Expo Québec. Je sens encore mon petit cœur soulagé quand ma mère m'avait pris dans ses bras! **CE QUE J'APPRÉCIE LE PLUS CHEZ UN ENFANT** Quand il dort.

Mon plus beau souvenir d'enfance reste ces séjours à Cap-Rouge, chez ma tante Rita, où l'on passait des heures à se baigner dans le fleuve. Puis, le vent du large m'a conduit jusqu'à l'âge adulte. Tous les mois d'août, pendant vingt ans, j'ai mis le cap sur Carleton, dans la Baie-des-Chaleurs. Pour la mer, pour la pêche, pour la beauté sereine du paysage. Cette recette à base de morue, j'y ai goûté tout récemment. *Oh boy*! que la mer fait bien à manger ! Un plateau d'acras, une bonne bière, une toune de blues, la famille, les amis, et Maddy, la meilleure femme au monde : je n'ai pas à rêver au bonheur. Il est là.

J'ai quitté la Russie à 10 ans. Je n'ai revu cette photo – avec beaucoup d'émotion d'ailleurs – qu'à mon retour, à l'âge adulte. Ma famille, restée là-bas, la gardait comme un trésor.

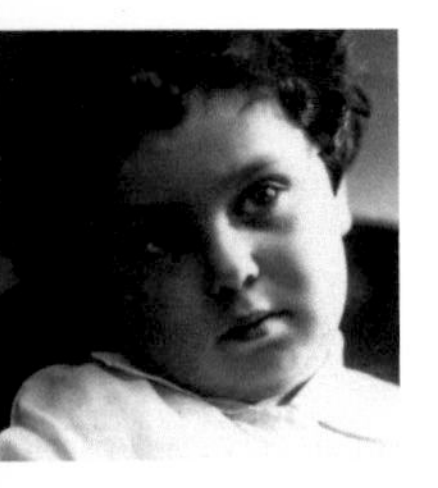

Kim

YAROSHEVSKAYA Comédienne

Borchtch d'été

Pour 8 personnes

A

LE BORCHTCH

1 botte de betteraves rouges moyennes (environ 6 betteraves) avec quelques jeunes feuilles

2 L (8 tasses) d'eau

1 oignon pelé et émincé

3 carottes pelées et émincées

1 branche de céleri, émincée

2 tomates fraîches, pelées et coupées en quartiers

2 gousses d'ail, pelées et hachées

2 feuilles de laurier

De l'aneth frais, haché

Du basilic frais, haché

15 ml (1 c. à soupe) de vinaigre de vin rouge

60 ml (1/4 tasse) de sucre

Sel et poivre du moulin

LA GARNITURE

4 œufs durs, coupés en deux

16 petites pommes de terre nouvelles (les grelots), bien chaudes

500 ml (2 tasses) de crème sure

Quelques oignons verts, hachés finement

1 ou 2 concombres pelés et émincés

Du basilic frais, haché finement

De la menthe fraîche, hachée finement

De l'aneth frais, haché finement

B

LE BORCHTCH

Bien laver les betteraves en prenant soin de préserver les tiges et le feuillage. Dans une casserole, à couvert, cuire les betteraves avec les tiges et un peu de jeune feuillage dans 1 L (4 tasses) d'eau bouillante, de 35 à 40 minutes, ou jusqu'à ce que les betteraves soient tendres.

Dans une autre grande casserole, verser 1 L (4 tasses) d'eau. Ajouter l'oignon, les carottes, le céleri, les tomates, l'ail et le laurier. Assaisonner et cuire 30 minutes à feu moyen et à couvert. Ajouter l'aneth et le basilic.

Retirer les betteraves de l'eau et ajouter le bouillon à celle de la grande casserole.

Rincer ensuite les betteraves à l'eau froide et les peler à la main. La pelure doit se retirer facilement.

Couper les betteraves en julienne et les ajouter aux légumes dans la grande casserole.

Faire mijoter doucement environ 20 minutes, puis retirer les feuilles de laurier.

Ajouter le vinaigre, le sucre et porter à ébullition. Laisser mijoter encore 2 minutes.

Retirer du feu, laisser tiédir, puis réfrigérer 24 heures pour permettre aux saveurs de bien se marier.

LA GARNITURE

Servir le *borchtch* dans une grande soupière et présenter la garniture dans des petits plats individuels. Les convives garniront ainsi leur *borchtch* à leur guise.

NOTE

Le *borchtch* d'été se mange froid. Le *borchtch* d'hiver, avec de la viande, est plus consistant et se mange chaud.

C

Le *borchtch* se savoure avec la famille et les amis. Un accord parfait !

Le *borchtch* est un potage magique : je n'ai qu'à y penser et, tout de suite, je me mets à sourire. Je vois autour d'une table des visages amis, des yeux qui pétillent, j'entends des rires, des bribes de chansons, des anecdotes... Au centre de la table, il y a une grande soupière, une louche y plonge encore et encore tandis que, encore et encore, les assiettes se remplissent du potage à la couleur joyeuse, couleur de feu : rouge-rouge.

Ma recette de *borchtch*, je la tiens de deux sources dignes de foi. Tout d'abord, de ma tante Sonia. C'est elle qui m'a accueillie quand, enfant, je suis venue de Russie. Immigrée elle aussi, elle devint l'une des premières femmes médecins à Montréal. Et elle préparait un *borchtch* extraordinaire. Mon autre source est la poupée Fanfreluche. Un jour, Fanfreluche est allée dans un vieux conte russe, chez la sorcière Baba Yaga, qui habitait dans une petite hutte sur pattes de poule. Baba Yaga lui a fait goûter à son *borchtch*, et Fanfreluche en a rapporté la recette. Elle me l'avait montrée, c'était une recette vieille de plusieurs siècles. Je n'en revenais pas : c'était la même recette que celle de ma tante Sonia !

Une dernière petite remarque : certains prétendent que le *borchtch* n'est qu'un potage à la betterave. Non. Un *borchtch*, c'est un *borchtch*. Je tiens à le souligner. Et vous serez sûrement d'accord après y avoir goûté.

Toque, toque, toque... les chefs font leur entrée !

Les oursins ont un peu été les oursons de mon enfance.

Giovanni

APOLLO Chef copropriétaire, Lychee

Variations sur le thème de l'oursin

Pour 4 personnes

A

LA CRÈME BRÛLÉE AUX GONADES D'OURSINS

4 jaunes d'œufs

80 ml (1/3 tasse) de crème à 35 %

280 g (10 oz) de gonades d'oursins

20 ml (4 c. à thé) de fèves tonka (fèves de Malaisie), torréfiées et moulues ou d'amandes rôties et moulues

125 ml (1/2 tasse) de cassonade

1 ml (1/4 c. à thé) de zeste d'orange, haché finement

1 ml (1/4 c. à thé) de zeste de citron, haché finement

Sel et poivre du moulin

LA SALADE DE RAMBOUTANS ET DE GONADES D'OURSINS À L'HUILE DE TANGERINE

8 ramboutans (variété de litchis)

180 g (6 oz) de gonades d'oursins

20 ml (4 c. à thé) d'huile de tangerine ou d'agrumes

Le jus d'une demi-lime

1/2 échalote grise, pelée et hachée finement

Sel et poivre du moulin

L'ÉMINCÉ DE FENOUIL ET GONADES D'OURSINS VAPEUR

1/2 bulbe de fenouil, émincé finement

Anis étoilé (au goût)

Un trait de jus de citron

4 feuilles de bananier de 10 cm^2 (4 po^2) (facultatif)

24 belles gonades d'oursins

Sel et poivre du moulin

L'AÏOLI D'OURSINS

1/2 gousse d'ail, pelée et hachée finement

45 ml (3 c. à soupe) de purée de pommes de terre

100 g (3 1/2 oz) de gonades d'oursins

80 ml (1/3 tasse) d'huile d'olive

Sel et poivre du moulin

LE MOT À LA BOUCHE

La saison où l'on peut se procurer des *gonades d'oursins* va de la mi-septembre jusqu'en avril. Les meilleures que l'on puisse se procurer au Québec proviennent de la Nouvelle-Écosse.

B

LA CRÈME BRÛLÉE AUX GONADES D'OURSINS

Dans un bol moyen, mélanger les jaunes d'œufs et la crème. Incorporer les gonades, les fèves tonka et assaisonner. Bien mélanger pour obtenir un mélange homogène. Passer au tamis fin et répartir dans quatre petits moules de 5 cm (2 po) de diamètre.

Placer dans un plat allant au four. Verser de l'eau chaude jusqu'à la mi-hauteur des moules. Cuire 15 minutes au four préchauffé à 180 °C (350 °F). Laisser refroidir.

Mélanger la cassonade, le poivre, les zestes et réserver.

LA SALADE DE RAMBOUTANS ET DE GONADES D'OURSINS À L'HUILE DE TANGERINE

Peler et dénoyauter les ramboutans. Conserver les coques pour la présentation. Couper la chair des ramboutans et des gonades en fine brunoise (en dés minuscules). Incorporer délicatement les autres ingrédients et assaisonner. Réfrigérer 15 minutes. Garnir les coques de la salade de ramboutans.

L'ÉMINCÉ DE FENOUIL ET GONADES D'OURSINS VAPEUR

Dans un bol, mélanger le fenouil, l'anis étoilé, le jus de citron et assaisonner. Couvrir et réfrigérer 10 minutes. Répartir en quatre portions sur les feuilles de bananier (ou du papier ciré). Recouvrir de gonades d'oursins.

!

MA FRAYEUR D'ENFANT Être puni et sommé de rester dans ma chambre, privé de repas.
MON PERSONNAGE PRÉFÉRÉ ÉTANT PETIT Luke Skywalker.

Déposer l'émincé et les gonades dans un petit panier en bambou. Saler et poivrer légèrement et déposer le panier au-dessus d'une casserole d'eau bouillante. Couvrir et faire cuire le tout à feu moyen, de 5 à 8 minutes.

L'AÏOLI D'OURSINS

Mélanger l'ail, la purée de pommes de terre et les gonades. À l'aide d'un fouet, monter à l'huile d'olive. Vérifier l'assaisonnement, puis conserver au réfrigérateur.

LA FINITION ET LA PRÉSENTATION

Au moment de servir, saupoudrer les crèmes de la préparation cassonade-zeste et brûler au chalumeau ou au fer à crème brûlée. Déposer dans les assiettes, disposer les salades de ramboutans et l'émincé de fenouil. Accompagner de quelques quenelles d'aïoli et servir aussitôt.

C Un vin blanc qui a du tempérament. Gewurztraminer, Cuvée Seigneurs de Ribeaupierre, Trimbach.

Les oursins ont une histoire : celle de mon enfance vécue en bordure de la mer. Les embruns matinaux, l'air salin vivifiant, le va-et-vient incessant des vagues, tous ces souvenirs reviennent me bercer. Je me rappelle, aussitôt que la mer se retirait et que la plage nous faisait l'honneur de dérouler son grand tapis de sable blond, nous partions à la chasse aux trésors avec les cousins et les cousines. Le butin était varié et abondant : oursins, anémones de mer, couteaux, coquillages de toutes sortes. Nous revenions les mains chargées de ces richesses dérobées à l'océan, puis nous nous faisions notre petit « quatre heures » sur la plage en nous régalant de notre moisson d'oursins.

Quand je revois cette photo, j'ai le souvenir de mes parents qui ont su si bien m'entourer.

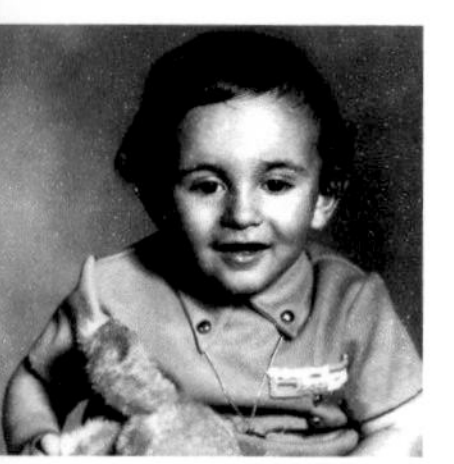

Thierry

BARON Chef de cuisine, Ferreira Café

Les cuillères chinoises en quatre temps

Pour 8 personnes

A

CREVETTES POÊLÉES ET SALSA EXOTIQUE

15 ml (1 c. à soupe) d'ananas pelé et coupé en petits dés

15 ml (1 c. à soupe) de mangue pelée et coupée en petits dés

15 ml (1 c. à soupe) de kiwi pelé et coupé en petits dés

15 ml (1 c. à soupe) de ciboulette fraîche, ciselée

5 ml (1 c. à thé) de jus de citron

30 ml (2 c. à soupe) d'huile d'olive

8 crevettes fraîches, décortiquées et déveinées (grosseur 26/30)

15 ml (1 c. à soupe) de cognac

30 ml (2 c. à soupe) de sauce tomate

Sel et poivre du moulin

BRISURE DE HOMARD SUR GUACAMOLE

1/2 avocat mûr

5 ml (1 c. à thé) de jus de citron

1 ml (1/4 c. à thé) d'ail pelé et haché

15 ml (1 c. à soupe) de tomate coupée en petits dés

1 queue de homard, cuite et coupée en huit

Sel et poivre du moulin

RÉMOULADE ÉPICÉE AU CRABE ET À LA PAPAYE

125 ml (1/2 tasse) de chair de crabe, cuite

45 ml (3 c. à soupe) de papaye pelée, évidée et coupée en petits dés

10 ml (2 c. à thé) de mayonnaise

5 ml (1 c. à thé) de jus de citron

5 ml (1 c. à thé) de ciboulette fraîche, ciselée

1 pincée de piment d'Espelette, moulu (au goût)

Sel et poivre du moulin

CEVICHE DE PÉTONCLES AUX AGRUMES ET AU CAVIAR DE MULET

10 ml (2 c. à thé) de jus de citron

30 ml (2 c. à soupe) de jus de lime

30 ml (2 c. à soupe) de jus de pamplemousse

30 ml (2 c. à soupe) de jus d'orange

15 ml (1 c. à soupe) d'huile d'olive

4 gros pétoncles frais

20 ml (4 c. à thé) de caviar de mulet

Sel et poivre du moulin

LE MOT À LA BOUCHE

Le *caviar de mulet* est un caviar très répandu que l'on trouve dans presque toutes les poissonneries.

Cultivé sur les côtes de l'Atlantique, le *wakamé* est une algue brun verdâtre au léger goût d'huître.

La *salicorne* pousse dans les marais salants et ressemble à une algue. Ses extrémités sont vertes et tendres.

!

MA FRAYEUR D'ENFANT Un jour, avec une bille, j'ai cassé une des dents de mon petit frère pendant son sommeil !
MON PERSONNAGE PRÉFÉRÉ ÉTANT PETIT Goldorak.

Ma mère alignait les plats comme un chemin de table et y déposait des louches et des cuillères pour le service. C'est en repensant à cela que l'idée m'est venue de créer un cocktail dînatoire présenté dans des cuillères chinoises que je porte à votre bouche.

B

CREVETTES POÊLÉES ET SALSA EXOTIQUE

Dans un bol, mélanger l'ananas, la mangue, le kiwi et la ciboulette. Ajouter le jus de citron et réserver.

Dans une grande poêle, faire chauffer l'huile d'olive à feu élevé. Saisir les crevettes de 2 à 3 minutes. Déglacer au cognac, flamber et ajouter la sauce tomate. Assaisonner. Répartir la salsa exotique dans huit cuillères chinoises et y disposer les crevettes légèrement tièdes.

BRISURE DE HOMARD SUR GUACAMOLE

Peler l'avocat et, à l'aide d'une fourchette, réduire la chair en purée. Ajouter le jus de citron, l'ail et bien mélanger. Assaisonner et ajouter les tomates. Répartir la guacamole dans huit cuillères chinoises, déposer un morceau de homard dans chaque cuillère et garnir de salicorne ou d'une herbe fraîche au choix.

RÉMOULADE ÉPICÉE AU CRABE ET À LA PAPAYE

Dans un bol moyen, mélanger la chair de crabe, les dés de papaye, la mayonnaise, le jus de citron, la ciboulette et le piment. Assaisonner et répartir dans huit cuillères chinoises. Garnir de dés de papaye et de ciboulette ciselée.

CEVICHE DE PÉTONCLES AUX AGRUMES ET AU CAVIAR DE MULET

Dans un petit bol, mélanger le jus des agrumes et l'huile d'olive. Assaisonner et émulsionner à l'aide d'un fouet.

Couper chaque pétoncle en 4 ou 5 médaillons dans le sens de l'épaisseur et laisser mariner 1 heure dans la marinade aux agrumes. Répartir les médaillons dans huit cuillères chinoises. Verser 5 ml (1 c. à thé) de marinade dans chaque cuillère. Garnir de caviar et, si désiré, de salade d'algues wakamé.

Un vin effervescent, champagne ou autre. Roederer Estate, Anderson Valley, Californie.

Me voici posant fièrement dans notre première maison, à Fabreville.

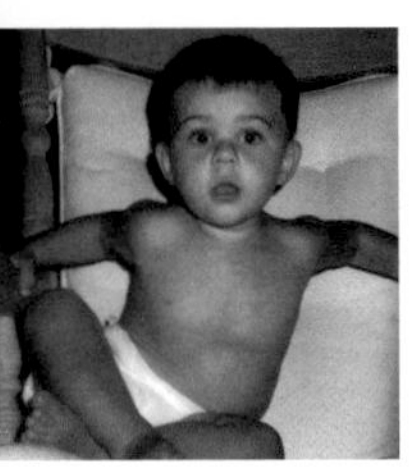

BASTIEN Chef responsable des cuisines, AREA

Doré de lac rôti au beurre noisette, chanterelles du Québec, côtes et vert de bette à carde, os à moelle et jus de viande

Pour 1 personne

A

L'OS À MOELLE

10 ml (2 c. à thé) d'huile d'olive

1 carotte pelée et émincée

1 oignon pelé et haché finement

1 os à moelle

LA BETTE À CARDE

4 feuilles et côtes de bette à carde

15 ml (1 c. à soupe) d'huile d'olive

1/2 oignon pelé et haché finement

1 branche de thym

1 gousse d'ail, pelée et coupée en deux

1 feuille de laurier

80 ml (1/3 tasse) de vin blanc

500 ml (2 tasses) de bouillon de légumes

15 ml (1 c. à soupe) de beurre

Sel et poivre du moulin

LE DORÉ

15 ml (1 c. à soupe) de beurre

200 g (7 oz) de filet de doré, avec peau, sans arêtes

45 ml (3 c. à soupe) d'huile de pignon

125 ml (1/2 tasse) de demi-glace de veau

Sel et poivre du moulin

LES CHANTERELLES

15 ml (1 c. à soupe) de beurre

60 g (2 oz) de chanterelles nettoyées

1 échalote grise, pelée et hachée finement

Sel et poivre du moulin

B

L'OS À MOELLE

Dans une casserole, faire chauffer l'huile à feu moyen. Ajouter la carotte et l'oignon et faire revenir 2 minutes. Déposer l'os à moelle et couvrir d'eau. Cuire 20 minutes à feu doux et à couvert. Retirer l'os, puis récupérer la moelle à l'aide d'un couteau d'office. Réserver.

LA BETTE À CARDE

Laver et peler chaque côte de bette à carde afin de retirer la partie fibreuse. Tailler les côtes en morceaux de 10 cm (4 po). Dans une petite casserole, faire chauffer l'huile à feu moyen. Ajouter l'oignon et faire revenir 2 minutes. Ajouter le thym, l'ail, le laurier et les côtes de bette, et déglacer au vin blanc. Mouiller avec le bouillon, saler et cuire de 8 à 10 minutes à feu doux. Réserver.

Bien laver le vert de bette, essorer et tailler en gros morceaux. Dans une poêle, faire chauffer le beurre à feu doux. Ajouter le vert de bette et cuire de 1 à 2 minutes. Assaisonner et réserver.

! **MON PLUS BEAU SOUVENIR D'ENFANCE** Mordre dans une belle grosse tomate du potager de mon oncle. **MON RÊVE DE BONHEUR** Griller un poisson entier sur une plage méditerranéenne.

À l'été 2002, j'ai effectué un stage chez David Zuddas, à l'Auberge de la Charme en Bourgogne. La qualité des produits qu'utilisait la maison a du coup élargi mes horizons. Cette recette, péparée entre autres avec de l'os à moelle et de l'huile de pignon, fait partie des bagages culinaires rapportés de là-bas. De plus, le doré étant un poisson dont le goût et la chair supportent bien le mariage avec un jus de viande, il m'apparaissait intéressant d'en exploiter l'alchimie, encore peu usitée ici.

LE DORÉ

Dans une poêle antiadhésive, faire fondre le beurre à feu moyen et y déposer le doré. Cuire jusqu'à ce que le beurre devienne noisette. Ajouter un trait d'huile et arroser le poisson avec le corps gras. Poursuivre la cuisson de 6 à 8 minutes au four préchauffé à 190 °C (375 °F).

Pour la sauce, mélanger 30 ml (2 c. à soupe) d'huile de pignon à la demi-glace chaude et bien mélanger à l'aide d'un fouet. Assaisonner et réserver.

LES CHANTERELLES

Dans une poêle, faire chauffer le beurre à feu moyen jusqu'à ce qu'il soit moussant. Ajouter les chanterelles, l'échalote, saler et cuire de 2 à 3 minutes. Poivrer et réserver.

LA FINITION ET LA PRÉSENTATION

Retirer les côtes de bette du jus de cuisson et les réchauffer, ainsi que la moelle, dans la demi-glace. Ajouter une noix de beurre et vérifier l'assaisonnement.

Au centre d'une assiette, disposer le vert de bette et les côtes. Déposer le doré, puis les chanterelles. Terminer par la moelle et napper de sauce.

C Un rouge complexe et non tannique. Pinot noir Calera Central Coast.

J'ai eu le bonheur de connaître la vie de famille à la campagne.

Jean-Luc

BOULAY Chef exécutif, Le Saint-Amour

Poêlée de crevettes géantes au piment d'Espelette, fenouil croquant à la tomate séchée et réduction d'oranges sanguines à l'huile d'olive

Pour 4 personnes

A

1 bulbe de fenouil

1 tomate séchée dans l'huile, ciselée finement

Le jus d'un citron

175 ml (3/4 tasse) d'huile d'olive extra vierge

12 crevettes géantes, décortiquées et déveinées

1 pincée de sel de mer

1 pincée de piment d'Espelette

Le jus de 2 oranges sanguines (en saison), ou 2 oranges

4 fleurs de capucine (facultatif)

B

Retirer les tiges du fenouil. Conserver le vert et le hacher. À l'aide d'une mandoline, trancher finement le bulbe de fenouil. Dans un bol, mélanger le fenouil, la tomate séchée, le jus du citron et le vert du fenouil haché. Assaisonner, puis répartir la petite salade de fenouil au centre de 4 assiettes. Réserver.

Dans une grande poêle, faire chauffer, à feu élevé, 15 ml (1 c. à soupe) d'huile d'olive. Saisir les crevettes 2 minutes de chaque côté. Assaisonner de sel de mer et de piment d'Espelette. Déglacer au jus des oranges sanguines. Retirer les crevettes et les disposer dans chaque assiette.

Faire réduire le jus des oranges, à feu élevé, jusqu'à ce qu'il soit sirupeux. Retirer du feu et, à l'aide d'un fouet, incorporer l'huile d'olive.

Verser la sauce sur les crevettes. Si désiré, décorer chaque assiette d'une belle fleur de capucine.

C

Un vin blanc aux accents du Sud. Minervois, Cuvée Expression, Château La Grave.

!

MON PLUS BEAU SOUVENIR D'ENFANCE Les pique-niques du dimanche, en famille, près du lac.
CE QUE JE DÉTESTE PAR-DESSUS TOUT Sauter un repas.

Cette recette me replonge dans de merveilleux souvenirs : une villa près de la mer, mon épouse, nos trois enfants. Il fait bon, il fait beau. Nous nous enivrons de l'air du large, le ressac se fait caressant, et ce plat s'offre à nous comme un soleil. Vif et éclatant.

Un jour, à Saint-Émilion, ma femme, nos deux petits-fils et moi nous sommes arrêtés devant la vitrine d'un pâtissier. De petits gâteaux sombres et cannelés y trônaient. Les enfants insistèrent pour que nous y goûtions. Là, en pleine rue, nous avons craqué pour cette pâtisserie en apparence humble et dépourvue de sophistication. Deux textures inhabituelles s'y croisaient. Sous son enveloppe croustillante se cachait une pâte moelleuse et vanillée, au goût de fine crêpe dessert. À votre tour, maintenant, de succomber à la recette des meilleurs cannelés de tout le Bordelais, qu'un artisan-fabricant de moules m'avait alors offerte si généreusement et qui, depuis, ne cesse de ravir la clientèle de La Gascogne.

Mes premiers souvenirs sont ceux d'une existence disciplinée, incompatible avec ma nature impétueuse et insouciante !

CABANES Chef pâtissier et fondateur, pâtisserie La Gascogne

Les cannelés

Donne 24 cannelés

A

- 1 L (4 tasses) de lait
- 2 gousses de vanille
- 100 ml (1/3 tasse + 1 c. à soupe) de beurre doux
- 500 ml (2 tasses) de farine
- 300 ml (1 1/4 tasse) de sucre
- 500 ml (2 tasses) de sucre à glacer
- 4 jaunes d'œufs
- 4 œufs entiers
- 100 ml (1/3 tasse + 1 c. à soupe) de rhum

B

Dans une casserole moyenne, faire bouillir le lait avec les gousses de vanille coupées dans le sens de la longueur. Ajouter le beurre, bien mélanger et chauffer le lait jusqu'à ce qu'il atteigne 75 °C (170 °F) au thermomètre. Réserver.

Dans un bol, bien mélanger la farine tamisée, le sucre et le sucre à glacer. Ajouter les jaunes d'œufs et les œufs entiers. Ajouter graduellement le lait jusqu'à l'obtention d'une pâte bien lisse et homogène. Ajouter le rhum et bien mélanger.

Passer au tamis fin, couvrir, puis laisser reposer la pâte 24 heures au réfrigérateur.

Le lendemain, beurrer et sucrer les moules à cannelés. Les remplir de la pâte et cuire de 35 à 40 minutes au four préchauffé à 215 °C (420 °F).

Démouler et laisser refroidir sur une grille.

C

Un vin blanc liquoreux de Bordeaux. Château Les Roques, Loupiac.

! **MON PLUS BEAU SOUVENIR D'ENFANCE** Le vélo bleu métallisé, de marque Venitia, que mes parents m'avaient donné. **MON HISTOIRE PRÉFÉRÉE ÉTANT PETIT** *Le Roi de la police montée*, une bédé des années 30.

Joël CHAPOULIE Chef exécutif, L'Express

Pot-au-feu de L'Express

Pour 8 personnes

A

LE BOUILLON

1 carcasse de poulet

1 kg (2 1/4 lb) d'os de veau

15 ml (1 c. à soupe) de gros sel

5 ml (1 c. à thé) de poivre noir en grains

1 feuille de laurier

1 oignon pelé et piqué d'un clou de girofle

LE POT-AU-FEU

1,5 kg (3 lb) de côtes de bœuf croisées (ou de la palette de bœuf)

4 cuisses de poulet, coupées en deux

8 os à moelle de 5 cm (2 po) de long

1 cœur de céleri

3 blancs de poireau, lavés

8 mini navets pelés

8 mini carottes jaunes, pelées

8 mini carottes rouges, pelées

1 petit chou de Savoie, coupé en quatre

16 petites pommes de terre, tournées et cuites

B

LE BOUILLON

La veille, rincer la carcasse et les os à l'eau froide, puis les déposer dans une grande casserole. Couvrir d'eau froide, porter à ébullition et écumer. Ajouter ensuite le sel, le poivre, la feuille de laurier et l'oignon piqué. Faire mijoter à feu doux et à découvert, de 1 heure à 1 heure et demie. Filtrer ensuite le bouillon dans une passoire fine, laisser refroidir, puis conserver au réfrigérateur.

LE POT-AU-FEU

Le lendemain, dégraisser le bouillon et le porter à ébullition. Incorporer le morceau de bœuf et faire mijoter environ 20 minutes, à feu doux et à couvert.

Ajouter les cuisses de poulet et poursuivre la cuisson environ 25 minutes ou jusqu'à ce que la chair du poulet ne soit plus rosée à l'intérieur. Retirer le bœuf et le poulet du bouillon, et réserver dans un grand plat de service, au chaud.

Déposer les os à moelle dans le bouillon et faire mijoter de 10 à 15 minutes. Retirer les os et réserver dans le plat de service. Faire cuire les légumes dans le bouillon, en commençant par le cœur de céleri, puis les poireaux, les navets et les carottes, selon la cuisson désirée. Réserver avec les viandes dans le plat de service.

Cuire le chou dans le bouillon, de 12 à 15 minutes, ou jusqu'à ce qu'il soit tendre.

Ajouter le chou et les pommes de terre au plat de service.

Après avoir réuni tous les ingrédients, verser le bouillon fumant, rectifier l'assaisonnement, et servir.

C

Un rouge jeune et charpenté.
Torus, Madiran, Alain Brumont.

! **MON PLUS BEAU SOUVENIR D'ENFANCE** Des randonnées à vélo aboutissant à des baignades joyeuses ! **MES PERSONNAGES PRÉFÉRÉS ÉTANT PETIT** Spirou, Tintin et Les Pieds Nickelés.

Le pot-au-feu est le plat convivial par excellence. Aurait-on l'idée de ne le mitonner que pour un seul convive ? Le pot-au-feu fait fi des conventions et n'obéit qu'à l'inspiration. Toutefois, pour le réussir, il faut un peu de préparation, un sens de l'harmonie, une pincée de patience et une bonne dose d'amour. Une fois prêt, vous le déposez au centre de la grande table familiale, accompagné de moutarde de Dijon, de raifort, de petits cornichons, de gros sel et de poivre fraîchement moulu. Allez, à la fortune du pot !

Je me rappelle les repas du dimanche midi : la famille, les amis, les beaux habits. Mais surtout l'odeur généreuse des plats. Encore aujourd'hui, les carbonnades flamandes de ma mère demeurent mon mets préféré. Tout est là dans l'assiette : une chaleur rassurante, un plaisir de vivre, un bonheur partagé...

À un an, je découvrais avec ébahissement les joies de la gourmandise.

marc

de CANCK Chef propriétaire, La Chronique

Carbonnade flamande

Pour 6 personnes

A

1,5 kg (3 lb) de joue de bœuf ou de joue de veau

45 ml (3 c. à soupe) de beurre

5 oignons moyens, pelés et émincés

30 ml (2 c. à soupe) de cassonade

45 ml (3 c. à soupe) de farine

30 ml (2 c. à soupe) de vinaigre de vin

1 L (4 tasses) de bière brune

2 gousses d'ail, pelées et hachées

2 branches de thym

3 feuilles de laurier

15 ml (1 c. à soupe) de moutarde de Dijon ou autre moutarde forte

Sel et poivre blanc

B

Couper la joue de bœuf dans le sens de l'épaisseur en deux parties égales (si l'on utilise de la joue de veau, la laisser entière).

Dans une cocotte, faire chauffer le beurre, à feu élevé, et saisir les morceaux de joue de tous les côtés. Assaisonner. Retirer la joue et réduire à feu moyen. Ajouter les oignons et faire suer en remuant souvent, environ 10 minutes (ajouter plus de beurre, si nécessaire). Assaisonner.

Saupoudrer de cassonade et faire caraméliser. Ajouter la farine et cuire 3 minutes. Verser le vinaigre et la bière. Ajouter l'ail, le thym, le laurier, puis les morceaux de joue.

Laisser mijoter 3 heures, à feu très doux et à couvert. À la fin de la cuisson, diluer la moutarde dans un peu de jus de cuisson. Ajouter le jus de moutarde au plat et remuer délicatement.

Servir avec des frites, une fois, comme disent les Belges.

C

Il faut oser. Une bière belge, brune de préférence. Chimay grande réserve.

!

MA FRAYEUR D'ENFANT Je n'aimais pas la nuit. Trop d'idées tournaient dans ma tête.
MON RÊVE DE BONHEUR Je ne rêve pas au bonheur. Je le vis.

Que j'aimais les parties de pêche à la crevette ! On me voit ici accompagné de ma sœurette.

Lionel

GACOUGNOLLE Chef propriétaire, Tonnerre de Brest

Tarte Tatin aux endives

Pour 8 personnes

A

12 belles endives

1,5 L (6 tasses) de fond blanc de volaille (ou de bouillon de poulet)

Le jus d'un citron

175 ml (3/4 tasse) de sucre

30 ml (2 c. à soupe) d'eau

300 g (10 oz) de fromage de chèvre affiné

300 g (10 oz) de pâte feuilletée (maison ou du commerce)

Sel et poivre du moulin

B

Dans un grand rondeau ou une grande casserole, déposer les endives et les couvrir du fond blanc de volaille. Ajouter le jus de citron et assaisonner. Cuire 10 minutes, à feu doux et à couvert. Égoutter les endives encore croquantes et les réserver sur un linge propre.

Dans une petite casserole à fond épais, faire fondre le sucre et l'eau à feu élevé. Réduire à feu moyen, puis faire cuire jusqu'à l'obtention d'un beau caramel doré. Verser ensuite dans une casserole allant au four, d'environ 30 cm (12 po) de diamètre et mesurant au moins 6 cm (2 1/2 po) de hauteur. Laisser reposer 30 minutes.

Placer six endives dans la casserole caramélisée, les pointes vers l'extérieur et les cœurs vers le centre. Ajouter un peu de poivre fraîchement moulu et émietter la moitié du fromage de chèvre. Déposer les six autres endives dans l'autre sens, c'est-à-dire les pointes vers le milieu et les cœurs vers l'extérieur.

Émietter le reste du fromage de chèvre, poivrer à nouveau et recouvrir de la pâte feuilletée. Faire cuire de 35 à 40 minutes (ou jusqu'à ce que la pâte soit bien dorée) au four préchauffé à 200 °C (400 °F).

Laisser reposer environ 15 minutes. Démouler la tarte dans un plat rond allant au four. La tarte va rendre un peu de jus, le retirer. Remettre la tarte quelques minutes au four afin qu'elle soit bien chaude. Si désiré, servir chaque portion accompagnée d'une sauce demi-glace aromatisée au thym frais.

C

Un vin blanc de Sauvignon. Pouilly-Fumé, La Demoiselle de Bourgeois.

! **MON PLUS BEAU SOUVENIR D'ENFANCE** Mon premier train électrique. **MON PERSONNAGE PRÉFÉRÉ ÉTANT PETIT** Charlot. **MON HÉROS FICTIF** Michel Vaillant.

Les personnes à qui j'avais parlé de cette recette, avant de l'inscrire au menu, la jugeaient excellente, ça oui... mais ils étaient néanmoins convaincus qu'elle ne trouverait jamais preneur. Ce « oui... mets » est devenu un classique de ma carte. Je ne peux plus le retirer. Certains clients en commandent plus d'un morceau à la fois !

J'avais huit ans, à l'époque où je croyais m'amuser pour toujours. L'avenir m'a donné raison : je m'amuse toujours.

GODBOUT Chef propriétaire, Chez L'Épicier

Coupe aux prunes, mascarpone et épices

Pour 4 personnes

A

LE SORBET AUX PRUNES

3 prunes rouges bien mûres

60 ml (1/4 tasse) d'eau

60 ml (1/4 tasse) de sucre

2,5 ml (1/2 c. à thé) de jus de citron

LA PURÉE DE PRUNES

3 prunes rouges bien mûres

LA GELÉE AU VIN ROUGE

125 ml (1/2 tasse) de vin rouge

30 ml (2 c. à soupe) de sucre

1 ml (1/4 c. à thé) de quatre-épices

1 1/2 feuille de gélatine neutre

LA CRÈME AU MASCARPONE

125 ml (1/2 tasse) de mascarpone

45 ml (3 c. à soupe) de sucre

LA GELÉE À LA CANNELLE

175 ml (3/4 tasse) d'eau

45 ml (3 c. à soupe) de sucre

2 bâtons de cannelle d'environ 8 cm (3 po) de longueur

2 feuilles de gélatine neutre

LA CHANTILLY AU GIROFLE

125 ml (1/2 tasse) de crème à 35 %

30 ml (2 c. à soupe) de sucre à glacer

2,5 ml (1/2 c. à thé) de clou de girofle, moulu

B

LE SORBET AUX PRUNES

Couper les prunes en deux et les dénoyauter. Déposer la chair dans une casserole. Ajouter l'eau, le sucre et le jus de citron. Cuire 7 minutes à feu moyen. Réduire en purée au mélangeur électrique. Passer à la passoire fine. Déposer dans un plat, couvrir et réserver au congélateur de 30 à 45 minutes. Passer l'appareil à nouveau au mélangeur électrique. Réserver au congélateur jusqu'au service.

LA PURÉE DE PRUNES

Couper les prunes en deux et les dénoyauter. Réduire la chair en purée au mélangeur électrique, puis passer à la passoire fine. Répartir dans quatre coupes à sorbet. Placer au congélateur 45 minutes.

LA GELÉE AU VIN ROUGE

Dans une petite casserole, mélanger le vin, le sucre et le quatre-épices. Faire chauffer 3 minutes à feu moyen. Faire ramollir la gélatine dans un peu d'eau froide et essorer. Déposer ensuite dans le mélange de vin encore chaud et brasser, le temps de laisser la gélatine se dissoudre. Laisser tiédir.

Sortir les coupes à sorbet du congélateur et verser la gelée au vin rouge sur la purée de prunes. Réfrigérer.

LA CRÈME AU MASCARPONE

Battre le mascarpone et le sucre jusqu'à consistance lisse et crémeuse. À l'aide d'un sac à pâtisserie, tracer trois lignes horizontales sur le dessus de la gelée au vin rouge. Réfrigérer 15 minutes.

LA GELÉE À LA CANNELLE

Procéder de la même façon que pour la gelée au vin rouge, filtrer et réfrigérer quelques minutes pour la refroidir sans la laisser prendre. Verser délicatement la gelée à la cannelle sur le mascarpone et laisser prendre au réfrigérateur.

LA CHANTILLY AU GIROFLE

Verser la crème dans un bol très froid. Battre en ajoutant le sucre à glacer et le clou de girofle jusqu'à consistance ferme. Réserver au froid.

LA FINITION ET LA PRÉSENTATION

Dans chacune des coupes, déposer une boule de sorbet aux prunes sur la gelée à la cannelle et garnir de Chantilly au girofle. Accompagner de pailles aux épices, de tuiles au beurre ou de biscuits au choix.

Pourquoi pas un mistelle de prune ? Verger Pedneault (produit du Québec).

! **MON PLUS BEAU SOUVENIR D'ENFANCE** Sans la moindre hésitation : les *partys* de Noël ! **MA FRAYEUR D'ENFANT** Une fois de plus, sans hésiter : les monstres sous mon lit ! **MON HÉROS FICTIF** James Bond.

Un jour, un fournisseur de fruits et légumes m'a proposé une cargaison de prunes à un prix dérisoire. Le lendemain, un Econoline se garait derrière le restaurant avec un chargement de 60 caisses de prunes. Vous auriez dû voir la tête des cuisiniers devant l'amoncellement de fruits à éplucher et à dénoyauter. Nuit et jour, pendant quelque temps, nous nous sommes installés dans la ruelle, tour à tour affairés à disséquer ce monceau de prunes. Encore fallait-il savoir qu'en faire. J'ai concocté quelques recettes fructueuses. En dépit de mes efforts d'imagination, la quantité de fruits ne semblait pas diminuer. Par respect pour le travail acharné de mes éplucheurs-dénoyauteurs, j'ai finalement élaboré cette recette de parfait aux prunes. À leur grand dam, je continue à commander des prunes... mais bon, avec plus de modération.

Thierry

JOUANNY Chef propriétaire, traiteur Les petits plats dans les grands

Sir Laurier d'Arthabaska en croûte, au parfum de truffes, confiture aigre-douce aux raisins et aux noisettes

Pour 6 à 8 personnes

LA CONFITURE

454 g (1 lb) de raisins blancs muscat

500 ml (2 tasses) de sucre

125 ml (1/2 tasse) de noisettes

60 ml (1/4 tasse) de miel

60 ml (1/4 tasse) de vinaigre de vin blanc

80 ml (1/3 tasse) de jus de pomme

LE SIR LAURIER EN CROÛTE

1 meule ronde d'environ 550 g (1 1/4 lb) de Sir Laurier d'Arthabaska

45 ml (3 c. à soupe) de beurre

1 poire Bartlett ou Anjou, pelée, évidée et émincée

60 ml (1/4 tasse) de porto

450 g (environ 1 lb) de pâte feuilletée

Un peu de farine

2 œufs

5 ml (1 c. à thé) d'huile de truffe noire

30 ml (2 c. à soupe) de confiture aigre-douce de raisins et noisettes

6 raisins de Corinthe secs

LA CONFITURE

Égrapper les raisins, rincer rapidement sous l'eau froide et essuyer sur du papier absorbant. Déposer dans une casserole moyenne, ajouter le sucre et porter à petite ébullition. Verser dans un bol, laisser tiédir, puis couvrir. Laisser macérer 12 heures.

Dans une poêle, à feu moyen et sans ajouter de corps gras, faire colorer les noisettes en remuant jusqu'à ce qu'elles soient légèrement rôties. Enlever la peau, hacher et réserver.

Dans une casserole moyenne à fond épais, verser le miel et le vinaigre. Porter à ébullition et faire réduire de moitié. Presser les raisins afin d'enlever les pépins et les ajouter à la casserole. Ajouter le jus de pomme. Porter à ébullition, puis écumer. Cuire 15 minutes à feu élevé et à découvert, en remuant constamment. La température au thermomètre devrait atteindre 105 °C (220 °F). Ajouter les noisettes, bien mélanger et transférer dans des pots stérilisés.

LE SIR LAURIER EN CROÛTE

Retirer le papier et placer le fromage 1 heure au congélateur. Dans une poêle, faire fondre le beurre à feu élevé et faire sauter la poire 3 minutes. Déglacer au porto et faire flamber. Retirer du feu et réserver au froid.

Couper la pâte feuilletée en deux parts, soit 200 g (7 oz) et 250 g (9 oz) respectivement. Sur une surface enfarinée, abaisser à 2 mm (1/8 po) d'épaisseur. Préparer la dorure en mélangeant les œufs et 45 ml (3 c. à soupe) d'eau. Badigeonner ensuite la plus petite abaisse. Poser le fromage au centre et le badigeonner d'huile de truffe. Badigeonner ensuite de dorure le dessus et les côtés du fromage. Étaler les poires sur le fromage et répartir la confiture.

Habiller le Sir Laurier de la seconde abaisse et bien presser la pâte pour éviter les poches d'air. Couper la pâte en rond à 3 cm (1 1/4 po) de la bordure du fromage. Bien presser le contour de la pâte afin de bien sceller le tout. Faire des fleurs avec le reste de la pâte, au centre desquelles on disposera les raisins de Corinthe (ou décorer selon son imagination). Badigeonner de dorure.

Congeler 1 heure. Cuire au four préchauffé à 190 °C (375 °F) environ 30 minutes ou jusqu'à ce que la pâte soit bien dorée. Laisser refroidir environ 20 minutes. Le fromage doit être tiède et coulant à l'intérieur. Servir accompagné d'une salade de fines laitues.

Un rouge plantureux et capiteux. Amarone della Valpolicella, Campolongo Torbe, Masi.

MON PLUS BEAU SOUVENIR D'ENFANCE Les week-ends chez mes grands-parents dans la Creuse. Il suffisait d'un bout de bois pour s'inventer un monde fantastique.

D'abord, il y a les produits laitiers, le lait étant l'un des aliments essentiels du début de notre vie. Ensuite, vient la pâte pour son croustillant. Enfin, la confiture. Souvenirs d'enfance et de tartines. Une matière à travailler, aux possibilités infinies. Trois gouttes d'imagination, une pincée de création et vous voilà transformé en alchimiste, en apprenti sorcier, amalgamant goûts et couleurs.

Tout jeune, j'ai vécu sur une ferme dans le Bas-du-Fleuve. Mon goût marqué pour les produits d'une fraîcheur irréprochable remonte sans doute à cette époque.

LAPRISE Chef copropriétaire, Toqué!

Dacquoise à la framboise et à la mûre sauvages

Pour 4 personnes

A

LA CRÈME DE THYM CITRONNÉ

15 ml (1 c. à soupe) de sucre

1 brindille de thym citronné

175 ml (3/4 tasse) de crème à 35 %

LA DACQUOISE

2 blancs d'œufs (des gros œufs)

125 ml (1/2 tasse) de sucre

125 ml (1/2 tasse) de poudre d'amande

15 ml (1 c. à soupe) de fécule de maïs

LA DACQUOISE À LA FRAMBOISE ET À LA MÛRE SAUVAGES

1 barquette de belles framboises sauvages

1 barquette de belles mûres sauvages

1 sorbet à la framboise

Un peu de sucre à glacer

4 tiges de thym citronné

B

LA CRÈME DE THYM CITRONNÉ

Broyer légèrement le sucre et le thym. Ajouter la crème et mélanger. Couvrir, réfrigérer et laisser infuser pendant une nuit.

LA DACQUOISE

Au batteur électrique, à vitesse basse-moyenne, monter les blancs d'œufs en neige en ajoutant le sucre petit à petit, jusqu'à ce que des pics se forment et que le sucre soit complètement dissous.

Tamiser la poudre d'amande et la fécule de maïs à trois reprises. À l'aide d'une marise (spatule de caoutchouc), incorporer délicatement les ingrédients secs aux blancs d'œufs.

Sur une plaque à biscuits recouverte d'un papier parchemin, former de petits rectangles en étendant une fine couche du mélange à l'aide d'un pochoir de 10 cm (4 po) x 4 cm (1 1/2 po)*. Chaque portion nécessite trois rectangles, mais il est toutefois conseillé d'en préparer quelques-uns en surplus.

Cuire de 6 à 7 minutes au four préchauffé à 240 °C (475 °F). Les dacquoises doivent rester blanches et sans aucune coloration. Retirer du four et laisser refroidir les dacquoises complètement avant de les enlever du papier. Si elles ne se décollent pas facilement, remettre à cuire de 1 à 2 minutes.

*Vous pouvez fabriquer un pochoir vous-même à l'aide d'un couteau de style X-Acto en taillant un couvercle de plastique aux dimensions mentionnées.

LA DACQUOISE À LA FRAMBOISE ET À LA MÛRE SAUVAGES

Filtrer l'infusion de crème et la monter à moitié jusqu'à l'obtention de pics mous. Couvrir quatre dacquoises en déposant deux rangées de framboises sur chacune d'elles. À l'aide d'un sac à pâtisserie muni d'une douille unie, faire un trait de crème sur les fruits.

Déposer une autre dacquoise sur chacun des quatre montages. Y déposer ensuite deux rangées de mûres, la crème et une troisième dacquoise. Saupoudrer de sucre à glacer, décorer d'une mûre ou d'une grappe de groseille et d'une branche de thym givrées.

Accompagner d'une quenelle de sorbet à la framboise.

C

Un mariage surprise... qui fonctionne. Pineau des Charentes, Réserve Or 10 ans, Château de Beaulon.

! **MON PLUS BEAU SOUVENIR D'ENFANCE** J'étais *caddy* sur un terrain de golf et j'adorais la beauté tranquille et lumineuse des petits matins. **MON PERSONNAGE PRÉFÉRÉ ÉTANT PETIT** Paillasson.

Les petits fruits ? Depuis ma tendre enfance, je les débusque où qu'ils soient. Et cette passion, je suis heureux de pouvoir la partager aujourd'hui avec mon fils Thomas.

Si j'ai maintenant du succès en restauration, c'est grâce à Nicolas Jongleux, à qui je dédie ma carrière de chef, ainsi que toutes mes recettes. Pour toujours.

Ma grand-mère, qui a pris cette photo, a toujours su que je deviendrais cuisinier.

MCMILLAN Chef exécutif, Le Globe et Rosalie

Biscuits au sirop de citron

Pour 9 personnes

A

LE BISCUIT

3 œufs

250 ml (1 tasse) de yogourt

175 ml (3/4 tasse) de sucre blanc

400 ml (1 2/3 tasse) de farine

10 ml (2 c. à thé) de levure chimique

Le zeste d'un citron

1 pincée de sel

1 noisette de beurre

LE SIROP

Le zeste de 2 citrons

Le jus de 3 citrons

125 ml (1/2 tasse) de sucre

125 ml (1/2 tasse) d'eau

B

LE BISCUIT

Casser les œufs en séparant les blancs des jaunes. Réserver les jaunes dans leur demi-coquille et les blancs dans un grand bol.

Dans un cul-de-poule, à l'aide d'un fouet, mélanger le yogourt et le sucre environ 2 minutes, le temps de dissoudre le sucre complètement. Incorporer les jaunes d'œufs un à un. Mélanger la farine et la levure, puis incorporer à la préparation de yogourt. Laver le citron et le râper au-dessus de la préparation. Bien mélanger et réserver.

Ajouter une pincée de sel aux blancs d'œufs et les battre en neige ferme. À l'aide d'une spatule de caoutchouc, incorporer délicatement les blancs en neige à la préparation de yogourt. Beurrer un moule carré de 25 cm (10 po) et y verser la pâte. Cuire environ 35 minutes au four préchauffé à 150 °C (300 °F), ou jusqu'à ce que le gâteau soit légèrement doré.

LE SIROP

Préparer le sirop pendant la cuisson du biscuit. Prélever le zeste des deux citrons à l'aide d'un couteau économe. Couper ensuite les trois citrons en deux et les presser.

Dans une petite casserole, verser le jus des citrons préalablement filtré. Ajouter les zestes, le sucre et l'eau. Porter à ébullition, réduire à feu doux, puis faire mijoter 3 minutes en brassant quelquefois. Réserver.

Filtrer le sirop dans une petite passoire. Lorsque le biscuit est cuit, le démouler sur un plat de service. À l'aide d'une petite brochette, le piquer à plusieurs reprises et l'arroser de sirop. Récupérer le sirop dans le plat et arroser de nouveau le biscuit. Laisser reposer 8 heures au réfrigérateur. Découper le biscuit en carrés et servir.

C

Un vin blanc liquoreux pour méditer. Tokaji Aszù, 5 Puttonyos, Blue Label, Royal Tokaji Wine.

!

MON PLUS BEAU SOUVENIR D'ENFANCE Nos voyages dans le Bas-du-Fleuve : Kamouraska, Notre-Dame-du-Portage... **MON RÊVE DE BONHEUR** La retraite à 40 ans à Kamouraska !

Quand mon père faisait l'épicerie, il achetait toujours une petite quantité de filet de bœuf nº 1 qu'il se réservait. Il y ajoutait quelques épices à son goût et, absorbé, dégustait sa gâterie tout au bout du comptoir. Ce rituel m'impressionnait beaucoup. Il y a tant d'habitudes qui nous viennent de nos parents. J'ai grandi et aujourd'hui, allez hop ! je mange du tartare.

Sur la table, il y a un pichet de Tang. Je ne pouvais pas m'en passer!

MURRAY Chef, Voodoo

Tartare de bœuf, à la manière de Carlito

Pour 4 personnes

A

570 g (1 1/4 lb) de filet de bœuf, coupé en petit dés

5 ml (1 c. à thé) d'ail pelé et haché

5 ml (1 c. à thé) de gingembre haché

10 ml (2 c. à thé) de sauce soya

30 ml (2 c. à soupe) de coriandre fraîche, hachée

15 ml (1 c. à soupe) de moutarde forte

5 ml (1 c. à thé) de sauce au piment fort

15 ml (1 c. à soupe) d'huile d'olive extra vierge

15 ml (1 c. à soupe) de ciboulette fraîche, hachée

10 ml (2 c. à thé) de tomate séchée dans l'huile, hachée

10 ml (2 c. à thé) d'olives noires Calamata, hachées

Sel et poivre du moulin

B

Mélanger ensemble tous les ingrédients et assaisonner. À l'aide d'un emporte-pièce carré ou rond, répartir le tartare au centre de chaque assiette. Garnir tout autour d'un peu d'huile d'olive, de câpres et d'olives noires. Décorer d'herbes fraîches.

Servir avec des chips de *taro* ou des pommes de terre frites.

LE MOT À LA BOUCHE

Je vous suggère d'accompagner ce délice de frites ou de chips de *taro*. Le *taro*, originaire de l'Inde, a d'autres noms selon la région où on le cultive: *katchu*, *chou-chine*, *chou caraïbe*, *malanga*, *madère*, etc. Une fois épluché, le tubercule s'apprête comme la pomme de terre. Les chips sont tout simplement de fines tranches obtenues à la mandoline et plongées dans la friteuse.

C

Un rouge friand, mais intense en saveur. Crozes-Hermitage, Domaine Combier.

!

MON PLUS BEAU SOUVENIR D'ENFANCE La pêche, au lac Saint-Jean, avec mon cousin Yves.
MA FRAYEUR D'ENFANT Le dentiste et les piqûres. **MON HÉROS FICTIF** Goldorak.

Cette photo, je l'avais offerte à ma dulcinée lors de ma demande en mariage. Elle m'a tout de suite épousé.

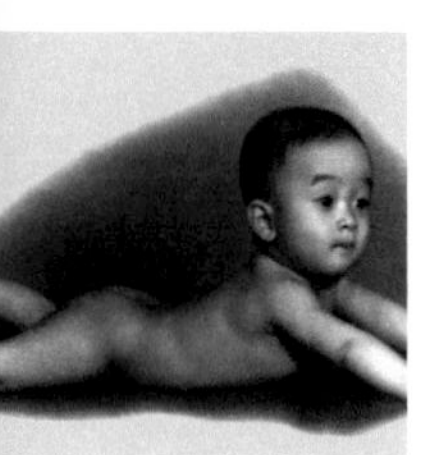

NGUYEN Chef propriétaire, Mikado

Usu zukuri, pomelo et yuzu

Pour 4 personnes

A

200 g (7 oz) de filet de vivaneau, rouget ou flétan, sans peau

1/4 *pomelo* («pamplemousse» d'Asie) ou 1/2 pamplemousse ordinaire

Quelques feuilles de *shiso* ou de menthe fraîche, ciselées

Fleur de sel

Quelques gouttes de jus de *yuzu*

LE MOT À LA BOUCHE

Usu zukuri est l'une des cinq découpes utilisées dans la préparation des sushis et des sashimis. Elle est très souvent utilisée pour les poissons blancs.

Le *pomelo* est l'ancêtre du pamplemousse et est originaire du Sud-Est asiatique. Il est beaucoup plus gros et son goût est légèrement plus sucré et plus parfumé.

Le *shiso* et la menthe proviennent de la même famille de plantes aromatiques. On peut trouver le *shiso* dans les épiceries asiatiques ou chez les marchands de fruits et légumes spécialisés.

Le *yuzu* est un citron japonais de la grosseur d'une tangerine. Il est unique et ne ressemble pas au citron occidental. Le *jus de yuzu* est vendu dans certaines poissonneries ou dans les épiceries asiatiques.

B

Retirer les arêtes du filet de vivaneau, puis trancher très finement. Les tranches doivent être extrêmement minces, presque transparentes.

Pour peler le *pomelo* à vif, couper les deux extrémités, puis enlever la peau de haut en bas, tout autour du fruit afin de retirer complètement la peau blanche. Prélever ensuite les suprêmes (c'est-à-dire les quartiers) en passant la lame du couteau le long de chacune des membranes. Détailler les suprêmes en tranches très fines.

Répartir les tranches de vivaneau dans chaque assiette. Disposer les tranches de *pomelo* et parsemer de *shiso* ciselé. Saupoudrer de fleur de sel et arroser de quelques gouttes de jus de *yuzu*.

Servir aussitôt.

C

Un saké ou un riesling allemand. Riesling Kabinett, Deidesheimer, Leinhohle, Basserman Jordan.

! **MON PLUS BEAU SOUVENIR D'ENFANCE** Les baignades sous la pluie. **CE QUE JE DÉTESTAIS PAR-DESSUS TOUT** L'école. **MON HÉROS FICTIF** Tarzan. **MON VICE CULINAIRE** Piquer dans les assiettes !

Chaque année, nous célébrions en famille la fête du Têt, qui souligne les trois premiers jours du Nouvel An lunaire. Nous nous régalions de mets vietnamiens traditionnels, préparés par ma mère et mes sœurs, et savourions goulûment une multitude de fruits juteux et charnus, dont le *pomelo* – au goût et au parfum si particuliers – encore profondément enraciné dans mes souvenirs d'enfance.

Ce matin-là, on m'a fait une prise de sang, moi qui craignais les piqûres. En dépit de tout, j'ai toujours su garder le sourire !

PEROMBELON Chef, Les Chèvres

Salade de légumes d'été, toute en texture

Pour 2 personnes

A

LA SALADE

8 tomates cerises, parce qu'elles sont sucrées et que leurs feuilles croustillantes apportent de la texture

4 petites rabioles cuites, pour leur goût rappelant le chou

4 petites tomates de vigne ou biologiques, parce que leur eau de végétation saura rafraîchir

3 radis longs français, pour mettre un peu de piquant

2 carottes jaunes cuites, mais encore croquantes, parce que cette racine est absolument magnifique à tous points de vue

10 haricots jaunes cuits, parce que c'est cireux et plein d'eau

Quelques jeunes pousses de marguerite, pour la petite amertume qu'on y trouve (ou encore, quelques feuilles de laitue chicorée, dite niçoise)

Quelques dés de gelée de violette, parce que je suis fatigué de voir des fleurs comestibles dans nos assiettes

Quelques traces de purée de panais et de persil plat, parce que j'aime le côté sucré du panais et la pureté du persil

Sel de mer

Poivre noir du moulin

LA GELÉE DE VIOLETTE

3 feuilles de gélatine neutre

Quelques gouttes de sirop de violette (au goût)

250 ml (1 tasse) d'eau de source

LA PURÉE DE PANAIS

125 ml (1/2 tasse) de persil plat

2 panais pelés et cuits

Sel de mer

LA VINAIGRETTE

15 ml (1 c. à soupe) de miel non pasteurisé

10 ml (2 c. à thé) de vinaigre de xérès âgé de 12 ans

10 ml (2 c. à thé) d'huile d'olive

Sel de mer

LE MOT À LA BOUCHE

La *rabiole*, ou *navet d'été*, est une « racine » aux fanes vertes et à la peau blanc, vert et rose. Elle a un goût légèrement poivré.

B

LA SALADE

Inciser le bas de chaque tomate cerise et tremper 10 secondes dans l'eau bouillante, puis dans l'eau glacée pour arrêter la cuisson. Éplucher les tomates en ramenant la peau vers le haut de la queue, sans la retirer complètement. Faire sécher 3 heures au four préchauffé à 110 °C (225 °F).

LA GELÉE DE VIOLETTE

Faire tremper les feuilles de gélatine dans l'eau froide pour les faire gonfler. Réserver.

Ajouter le sirop de violette à l'eau de source. Porter à ébullition et ajouter les feuilles de gélatine préalablement égouttées. Retirer du feu et remuer assez pour dissoudre la gélatine complètement. Verser dans un petit moule pour obtenir environ 0,5 cm (1/4 po) d'épaisseur, puis laisser refroidir 3 heures au réfrigérateur ou jusqu'à ce que la gelée soit figée. Découper ensuite en petits dés. Réserver au frais.

LA PURÉE DE PANAIS

Dans une petite casserole d'eau bouillante, plonger le persil 30 secondes et réserver. Au mélangeur électrique, réduire le panais en purée. Ajouter le persil préalablement égoutté, puis réduire à nouveau en purée. Passer au chinois étamine ou à la passoire très fine. Vérifier l'assaisonnement et réserver.

LA VINAIGRETTE

Au fouet, mélanger le miel et le vinaigre. Assaisonner et ajouter l'huile d'olive. Réserver.

! **MON PLUS BEAU SOUVENIR D'ENFANCE** Le Boston Cream Pie que ma mère préparait à chacun de mes anniversaires. **MON PERSONNAGE PRÉFÉRÉ ÉTANT PETIT** Superman. **MON HÉROS FICTIF** Tintin.

On m'a récemment demandé ce que je servirais à une nouvelle flamme. Eh bien, je tenterais de l'allumer en lui étalant ce lit de fraîcheur.

LA FINITION ET LA PRÉSENTATION

Trancher finement les rabioles, les tomates de vigne et les radis. Couper les carottes et les haricots en deux parties. Réserver.

Au centre de chaque assiette, tracer un généreux cordon de purée de panais. Dans un grand saladier, déposer les rabioles, les tomates de vigne, les radis, les carottes, les haricots et les pousses de marguerite. Verser la vinaigrette et mélanger très délicatement. Répartir les légumes dans les assiettes et garnir de tomates cerises séchées. Faire tomber quelques dés de gelée de violette, assaisonner de sel et de poivre. Servir aussitôt.

C Un vin blanc minéral, d'agriculture biologique. Riesling Steinert, Pierre Frick.

Mon grand-père avait la manie de nous photographier dans la sécheuse. Je lui demandais souvent de me faire faire un demi-cycle. Ça, c'est ce que j'appelle faire un «tour de machine» en famille!

PERREAULT Chef copropriétaire, AREA et REST AREA

Pain perdu à la vanille fraîche, petits fruits biologiques poêlés au poivre du Sichuan, fromage blanc d'Antan au miel et yogourt nature au yuzu japonais

Pour 4 personnes

A

LE PAIN PERDU

2 œufs biologiques

60 ml (1/4 tasse) de sucre

150 ml (2/3 tasse) de lait d'Antan

80 ml (1/3 tasse) de crème à 35%

1 gousse de vanille Bourbon

1 pain brioché rectangulaire

30 ml (2 c. à soupe) de beurre

Quelques feuilles de baume de mélisse, ciselées

4 feuilles de baume de mélisse

LE FROMAGE BLANC ET LE YOGOURT

100 g (3 1/2 oz) de fromage blanc d'Antan

30 ml (2 c. à soupe) de miel de sarrasin

Le jus et le zeste d'un citron vert, râpé

60 ml (1/4 tasse) de yogourt nature

20 ml (4 c. à thé) de jus de *yuzu*

LA POÊLÉE DE PETITS FRUITS

30 ml (2 c. à soupe) de beurre

10 fraises biologiques, équeutées et coupées en deux

10 mûres biologiques

10 grains de poivre du Sichuan, écrasés

45 ml (3 c. à soupe) de vin *cotto*

LE MOT À LA BOUCHE

La *mélisse*, également appelée «citronnelle», est une plante aromatique très prisée dans les pays asiatiques. On l'utilise bien souvent en pâtisserie, mais elle intervient également dans la préparation des potages, des sauces, des caris indiens, etc.

Pour le *jus de yuzu*, jetez un coup d'œil à la page 206.

Le *vin cotto* est un type de sirop fabriqué avec du moût de raisin. Sa saveur s'apparente à celles de la prune, du porto et de la mélasse. On peut se le procurer dans les épiceries fines italiennes.

B

LE PAIN PERDU

Dans un cul-de-poule moyen, mélanger les œufs, le sucre, le lait, la crème et les graines de vanille prélevées de la gousse. Bien fouetter le mélange et réserver. Trancher le pain brioché en rectangles de 3 cm x 3 cm x 12 cm (1 1/4 po x 1 1/4 po x 5 po) et réserver.

LE FROMAGE BLANC ET LE YOGOURT

Dans un petit bol, mélanger le fromage blanc, le miel, le jus et le zeste du citron. Réserver.

Dans un autre petit bol, mélanger le yogourt et le jus de *yuzu*. Réserver.

LA POÊLÉE DE PETITS FRUITS

Dans une poêle, à feu moyen, faire fondre 30 ml (2 c. à soupe) de beurre et, lorsqu'il devient noisette, ajouter les fraises, les mûres et le poivre du Sichuan. Faire cuire 2 minutes, puis ajouter le vin *cotto*. Retirer du feu et réserver.

! **MON PLUS BEAU SOUVENIR D'ENFANCE** Mon premier couteau de «Rambo». C'est ce qui m'a donné le goût de me lancer en cuisine. **MON PERSONNAGE PRÉFÉRÉ ÉTANT PETIT** G.I. Joe.

LA FINITION ET LA PRÉSENTATION

Tremper 10 secondes les rectangles de pain brioché dans l'appareil à pain perdu. Dans une poêle, faire fondre 30 ml (2 c. à soupe) de beurre et, lorsqu'il devient noisette, déposer les rectangles de pain. Faire cuire à feu moyen, de chaque côté, jusqu'à l'obtention d'une belle couleur dorée.

Répartir les fruits dans chaque assiette et parsemer de feuilles de baume de mélisse ciselées. Déposer les pains perdus sur les fruits et garnir d'une quenelle de fromage blanc. Tracer un léger cordon de yogourt, au fond de chaque assiette et décorer de feuilles de baume de mélisse.

C Un cidre de glace. Neige ou Frimas, de La Face Cachée de la Pomme (produit du Québec).

Les samedis matin, quand il y avait une occasion spéciale ou que s'amenait de la grande visite à la maison, ma mère nous faisait du pain perdu qu'elle servait avec des fraises. C'était la fête. Au fil du temps et de l'évolution de mes goûts, j'ai peaufiné la recette. J'en explore encore toutes les facettes, mais c'est toujours cette même saveur éphémère de l'enfance que je traque. À la recherche du pain perdu... pour paraphraser Proust.

Le regard déterminé, les petites lèvres pincées (selon mon niveau d'anxiété), eh non, rien n'a changé depuis.

martin

PICARD Chef propriétaire, Au Pied de Cochon

Hamburger de foie gras de canard

Pour 1 gourmand

A

1 tomate italienne

Un peu d'huile d'olive extra vierge

1 petit pain Pied de Cochon ou un petit pain Kaiser

45 g (1 1/2 oz) de champignons sauvages*

1 noix de beurre

100 g (3 1/2 oz) de foie gras frais de canard de 1,5 cm (3/4 po) d'épaisseur, dénervé

30 g (1 oz) de fromage cheddar, vieux de 3 à 5 ans

15 ml (1 c. à soupe) de glace de viande de canard

L'unique et merveilleuse salade de M. Birri au marché Jean-Talon

Sel de mer

Poivre du moulin

*Au restaurant, je sers ce hamburger avec la daube de bolet. Je vous avoue toutefois que sa préparation demande deux jours – ce qui est, somme toute, assez complexe. Je vous conseille donc d'utiliser des champignons sauvages sautés au beurre ; cela fera l'affaire.

B

Couper la tomate en deux dans le sens de la longueur, évider et poser sur une plaque allant au four. Badigeonner d'huile d'olive et cuire environ 2 heures au four préchauffé à 150 °C (300 °F). Saler au sel de mer à la sortie du four.

Dans une petite poêle, faire fondre le beurre à feu moyen-élevé. Ajouter les champignons et faire sauter pendant 2 minutes. Assaisonner.

Couper le pain en deux et le rôtir au four. Réserver. Faire chauffer une poêle antiadhésive à feu élevé jusqu'à ce qu'elle soit très chaude. Déposer le foie gras et le poêler très rapidement des deux côtés pour qu'il soit bien doré. Assaisonner et réserver.

Assembler tout simplement le hamburger avec les champignons, les tomates confites et le reste de la garniture. Piquer une brochette de bambou (ou un cure-dent) pour fixer le hamburger.

C

Un vieux bordeaux de Pomerol ou un Saint-Émilion selon votre cellier ou encore selon les disponibilités de la SAQ Signature.

!

MON PLUS BEAU SOUVENIR D'ENFANCE Quand j'ai appris à nager sous l'eau.
MON PERSONNAGE PRÉFÉRÉ ÉTANT PETIT Fanfreluche.

On cherchait un *snack* à la maison qui nous consolerait d'une journée de pluie. Ce hamburger est assurément l'un des plats les plus cochons que je n'ai jamais faits.

Cette recette incorpore deux des meilleurs souvenirs de mon enfance : le potager de ma grand-mère, infini et luxuriant, où mon frère jumeau et moi aimions nous amuser, et nos vacances sur la Côte-Est américaine où nos « pêches » aux mollusques étaient toujours miraculeuses : langoustes, moules, pétoncles, escargots...

Quand je ressors cette photo de mon frère jumeau et de moi en vacances à la mer, j'entends toujours le bruit des vagues.

Jean-François PICO Copropriétaire, Casa Tapas

Fleur d'artichaut farcie au jambon séché, sauce aux palourdes

Pour 4 personnes

A

LA SAUCE AUX PALOURDES

60 ml (1/4 tasse) d'huile d'olive

1 oignon pelé et haché

45 ml (3 c. à soupe) de persil plat, haché

15 ml (1 c. à soupe) de farine

15 ml (1 c. à soupe) de pimenton mi-doux, mi-piquant

1 feuille de laurier

125 ml (1/2 tasse) de vin blanc

175 ml (3/4 tasse) d'eau

454 g (1 lb) de petites palourdes fraîches

Sel de mer

LES FLEURS D'ARTICHAUT

8 petits artichauts frais

1/2 citron

Huile d'olive pour la friture

100 g (3 1/2 oz) de tranches de jambon Serrano (ou prosciutto), coupées en lanières

LE MOT À LA BOUCHE

Le *pimenton* est une poudre de piment doux séché, surtout utilisé dans la cuisine espagnole. On en trouve entre autres dans les épiceries latines et les épiceries fines.

B

LA SAUCE AUX PALOURDES

Dans une casserole moyenne, faire chauffer l'huile à feu moyen. Ajouter l'oignon et le persil. Faire revenir jusqu'à ce que l'oignon commence à dorer. Retirer du feu, ajouter la farine et bien mélanger. Remettre sur le feu et faire cuire de 3 à 4 minutes sans faire colorer la farine. Ajouter le pimenton, le laurier, le vin et l'eau. Saler et faire cuire 15 minutes en remuant quelquefois.

Laver et égoutter les palourdes. Incorporer à la sauce et faire cuire à couvert, de 4 à 5 minutes ou jusqu'à ce qu'elles soient ouvertes. Vérifier l'assaisonnement et réserver.

LES FLEURS D'ARTICHAUT

Parer les artichauts, c'est-à-dire retirer les feuilles extérieures qui sont fermes et coriaces. Couper les pointes de l'artichaut. À l'aide d'un couteau d'office, peler les queues et les couper aux extrémités. Frotter les artichauts avec le demi-citron. Réserver.

Dans une grande casserole, faire chauffer l'huile jusqu'à ce qu'elle atteigne 140 °C (275 °F). Faire frire les artichauts de 4 à 5 minutes ou jusqu'à ce qu'ils s'ouvrent en forme de fleur et qu'ils soient légèrement dorés.

Farcir l'intérieur des artichauts avec les lanières de jambon et servir, accompagnés de la sauce aux palourdes.

C

Un vin blanc espagnol, vif et droit. Rueda, Hermanos Lurton.

! **MON PLUS BEAU SOUVENIR D'ENFANCE** La visite de Disney World en Floride. **MA FRAYEUR D'ENFANT** Les catastrophes naturelles. **MON PERSONNAGE PRÉFÉRÉ ÉTANT PETIT** Le Petit Castor.

Eh bien moi, j'entends toujours le bruit des vagues quand je ressors cette photo de mon frère jumeau et de moi en vacances à la mer.

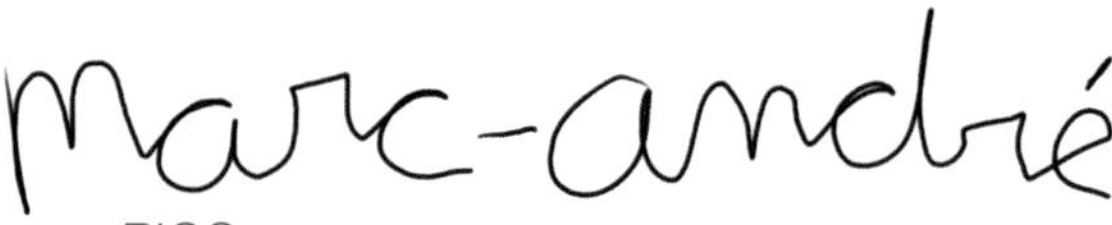

PICO Copropriétaire, Casa Tapas

Pipirrana d'avocat et flocons de morue confite

Pour 4 personnes

A

LA MORUE

200 g (7 oz) de morue fraîche, sans arêtes

250 ml (1 tasse) d'huile d'olive

Sel de mer

Poivre du moulin

LE PIPIRRANA

1 poivron vert

2 tomates rouges et fermes

2 avocats mûrs

Le jus d'un demi-citron

1 petit oignon blanc, pelé et haché finement

15 ml (1 c. à soupe) de ciboulette fraîche, hachée

LA VINAIGRETTE

5 ml (1 c. à thé) de miel ou de sucre

Sel et poivre du moulin

30 ml (2 c. à soupe) de vinaigre de xérès

80 ml (1/3 tasse) d'huile d'olive

Quelques feuilles de persil plat

B

LA MORUE

Essuyer la morue. Dans une petite casserole, faire chauffer l'huile jusqu'à ce qu'elle atteigne 80 °C (170 °F). Assaisonner la morue, puis la déposer dans l'huile. Retirer du feu et laisser refroidir environ 30 minutes. À l'aide d'une fourchette, séparer la chair de morue pour obtenir des flocons. Réserver.

LE PIPIRRANA

Dans une petite casserole, porter de l'eau à ébullition. Laver le poivron et le plonger dans l'eau bouillante de 1 à 2 minutes. Retirer, épépiner, puis hacher finement.

Laver les tomates, puis les plonger ensuite 1 minute dans l'eau bouillante. Retirer et peler, épépiner et hacher finement. Réserver.

Peler les avocats, et hacher la chair très finement. Ajouter le jus de citron et bien mélanger. Ajouter le poivron, les tomates, l'oignon, la ciboulette et bien mélanger. Assaisonner et réserver.

LA VINAIGRETTE

Dans un bol moyen, diluer le miel, le sel et le poivre dans le vinaigre. Au fouet, incorporer l'huile petit à petit.

Répartir le pipirrana au centre de chaque assiette (utiliser un emporte-pièce pour un rond parfait), déposer les flocons de morue et arroser de vinaigrette. Garnir de persil plat et servir.

C

Un xérès ou un Montilla sec.
Xérès Fino, Jarana, Emilio Lustau.

! **MON PLUS BEAU SOUVENIR D'ENFANCE** Mon premier vélo. J'ai piqué une plonge la semaine qui a suivi... **MON PERSONNAGE PRÉFÉRÉ ÉTANT PETIT** Bud Spencer dans tous ses rôles.

Cette recette évoque pour moi la Galice, au nord-ouest de l'Espagne, que j'avais parcourue avec mon frère jumeau. Un retour aux sources nécessaire et inspirant. À notre grande joie, les fruits de mer étaient abondants et, un soir au resto, on nous avait servi un plat délicieux, facile à préparer, duquel je me suis inspiré. Un classique de la Casa Tapas.

Natif de la Vendée, j'ai grandi avec la mer et moult souvenirs déferlent aujourd'hui par vagues : les récoltes de coquillages avec maman, Les-Sables-d'Olonne, le retour des pêcheurs, la criée... Encore aujourd'hui, je ne peux m'empêcher de répondre à l'appel de l'océan. Aussi, ce plat de morue me rappelle-t-il les Îles-de-la-Madeleine et ses plages sans fin où j'aime bien me retrouver.

Ma mère me nourrissait au sein... d'où ma gourmandise.

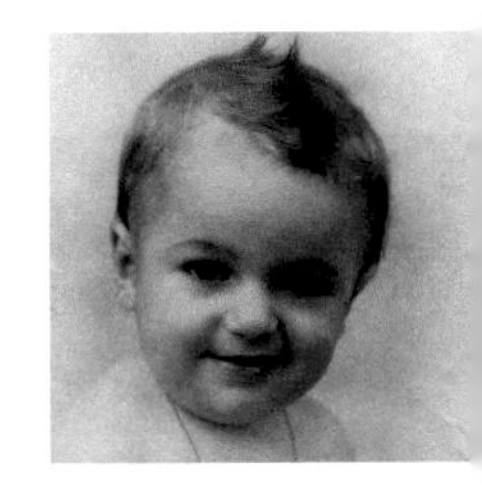

SOULARD Chef exécutif, Château Frontenac

Rôti de morue à l'estragon et aux tomates

Pour 4 personnes

A

LA SAUCE

30 ml (2 c. à soupe) d'huile d'olive

1 carotte pelée et coupée en dés

1 oignon pelé et coupé en dés

1/2 poireau coupé en dés

3 tranches de bacon, coupées en dés

1 bouquet garni (thym, persil, laurier)

500 ml (2 tasses) de vin blanc

250 ml (1 tasse) de coulis de tomates

250 ml (1 tasse) de crème à 35 %

1 petit bouquet d'estragon frais, haché

Sel et poivre du moulin

LA MORUE

15 ml (1 c. à soupe) d'huile d'olive

30 ml (2 c. à soupe) de beurre

4 tranches de morue fraîche de 150 g (5 oz) chacune (si votre poissonnier peut vous réserver l'arête dorsale, l'ajouter à la sauce, pour donner plus de saveur)

454 g (1 lb) de pois mange-tout, équeutés

3 tomates italiennes, épépinées et coupées en dés

Quelques feuilles d'estragon frais

B

LA SAUCE

Dans une casserole, faire chauffer l'huile à feu moyen. Faire revenir les arêtes (si on en a), la carotte, l'oignon, le poireau et le bacon. Ajouter le bouquet garni, mouiller avec le vin blanc et le coulis de tomates. Saler et poivrer. Réduire à feu doux, puis laisser mijoter 30 minutes à petits bouillons.

Filtrer la sauce à la passoire et remettre sur le feu. Faire réduire à feu doux jusqu'à ce qu'elle atteigne environ 250 ml (1 tasse). Ajouter la crème et réduire à nouveau de moitié. Retirer du feu, ajouter l'estragon et vérifier l'assaisonnement. Réserver.

LA MORUE

Dans une poêle, faire chauffer l'huile et le beurre à feu moyen. Déposer la morue et faire cuire doucement pour qu'elle prenne une belle couleur dorée, soit environ 5 minutes de chaque côté (selon l'épaisseur). Le poisson doit rester moelleux. Saler et poivrer.

Dans une grande casserole d'eau bouillante, faire cuire les pois mange-tout de 4 à 5 minutes*. Égoutter, assaisonner, puis répartir dans quatre assiettes. Déposer la morue sur le lit de pois mange-tout. Verser la sauce tout autour. Garnir de dés de tomates et de feuilles d'estragon.

*Il est préférable de cuire les pois mange-tout croquants. Au moment de l'achat, procurez-vous seulement les pois mange-tout dont les gousses sont aplaties. Ce sont les meilleurs. Si les gousses sont bombées, elles sont alors devenues fibreuses et beaucoup moins savoureuses.

C

Vin blanc canadien, pas trop boisé. Chardonnay sur lie, Henry of Pelham, Niagara Peninsula.

! **MON PLUS BEAU SOUVENIR D'ENFANCE** La valse entre l'auberge du village que tenait ma grand-mère maternelle et la pâtisserie de ma grand-mère paternelle, juste en face. J'étais entouré de femmes !

Plusieurs clientes du resto ont comparé ce plat à un orgasme (un vrai, pas celui de Meg Ryan dans *When Harry Met Sally*).
Quelques pétoncles et deux gousses de vanille : voilà le secret, messieurs !

Assurément la plus belle photo de moi à vie!

Jean-François VACHON Chef, La Bastide

Sur une crêpe vonnasienne de la mère Blanc, des pétoncles bien rôtis, une tombée de poireaux, sauce à la vanille de Madagascar

Pour 4 personnes

A

LES CRÊPES

300 ml (1 1/4 tasse) de purée de pommes de terre

1 œuf entier

2 blancs d'œufs

30 ml (2 c. à soupe) de farine

Sel et poivre du moulin

LA SAUCE

150 ml (2/3 tasse) de vin blanc

1 échalote grise, pelée et émincée

2 gousses de vanille de Madagascar, coupées en deux dans le sens de la longueur

300 ml (1 1/4 tasse) de crème à 35%

Sel et poivre du moulin

LA TOMBÉE DE POIREAUX

30 ml (2 c. à soupe) de beurre

30 ml (2 c. à soupe) d'eau

1 blanc de poireau, émincé

Sel et poivre du moulin

LES PÉTONCLES

30 ml (2 c. à soupe) d'huile d'olive

800 g (1 3/4 lb) de pétoncles frais

Légumes frais de saison (asperges ou autres légumes frais du maraîcher)

B

LES CRÊPES

Mélanger la purée de pommes de terre chaude avec l'œuf et les blancs d'œufs. Ajouter la farine, assaisonner et garder au frais (on peut faire cette préparation plusieurs heures à l'avance).

Dans une poêle antiadhésive chaude, verser l'huile et, à feu moyen, faire cuire 4 crêpes d'environ 10 cm (4 po) de diamètre jusqu'à ce qu'elles soient bien dorées. Réserver au four préchauffé à 150 °C (300 °F).

LA SAUCE

Dans une casserole, verser le vin blanc, ajouter l'échalote et les gousses de vanille. Porter à ébullition, puis faire réduire des 2/3. Ajouter la crème et réduire de nouveau de moitié. Assaisonner, retirer les gousses et réserver au chaud.

LA TOMBÉE DE POIREAUX

Dans une poêle, faire fondre le beurre à feu moyen et ajouter l'eau. Ajouter le poireau et faire légèrement tomber environ 5 minutes. Assaisonner et réserver.

LES PÉTONCLES

Dans une poêle antiadhésive très chaude, verser l'huile, assaisonner les pétoncles et cuire à feu élevé, de chaque côté, de 1 à 2 minutes en évitant de trop les faire cuire. Réserver sur du papier absorbant.

Déposer les crêpes au centre de chaque assiette, répartir les pétoncles, napper de sauce et garnir de tombée de poireaux. Servir accompagné de son légume préféré : asperges, fenouil, carottes, artichauts, etc.

C

Un grand chablis, minéral et fin. Chablis Grand cru, Bougros, Jean-Marc Brocard.

! **MON HISTOIRE PRÉFÉRÉE ÉTANT PETIT** *Patof chez les extraterrestres.* **MON HÉROS FICTIF** Le Schtroumpf gourmand. **CE QUE JE DÉTESTE PAR-DESSUS TOUT** Les buffets chinois!

Je n'avais pas fait de fondue depuis des lustres. À l'intention de mon ami et « Ambassadeur du vin au Québec », M. Jules Roiseux, j'ai récemment préparé cette recette à base de produits de notre terroir. Sa réaction m'a touché. Non seulement cet hommage aux fromages lui a-t-il plu, mais il éveillait en lui des réminiscences, des saveurs familières. Celles de la fondue que faisait jadis sa maman, avec les restes de fromages...

Le téléphone fut très tôt mon moyen de communication préféré. Aujourd'hui, je suis davantage connu sous le nom de « Monsieur Cellulaire ».

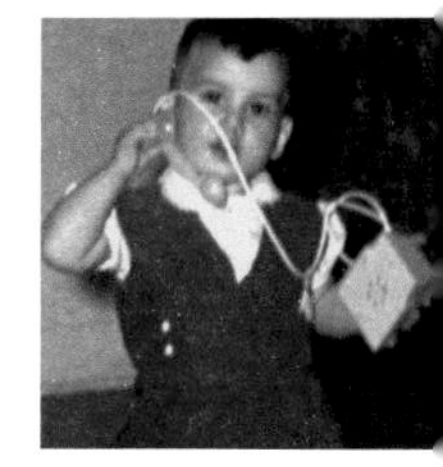

VÉZINA Chef propriétaire, Laurie Raphaël

Fondue québécoise aux trois fromages

Pour 4 personnes

A

1 petite miche de 454 g (1 lb) de pain aux noix

150 g (5 oz) de fromage Cantonnier de Warwick

150 g (5 oz) de fromage Valbert au lait cru du Saguenay-Lac-Saint-Jean

250 g (9 oz) de fromage de type suisse Des Côteaux

1 gousse d'ail, pelée et hachée finement

250 ml (1 tasse) de vin blanc (Moulin du Petit Pré, de Château-Richer)

1 pincée de noix de muscade, râpée

1 pincée de poivre blanc, moulu

60 ml (1/4 tasse) de lait

15 ml (1 c. à soupe) de fécule de maïs

30 ml (2 c. à soupe) de liqueur de cerise de terre (L'Amour en Cage)

B

Couper la calotte de la petite miche de pain et vider l'intérieur. Tailler la mie prélevée en petits cubes et les faire griller. Réserver.

Enlever la croûte des fromages Cantonnier et Valbert. Râper les trois fromages et réserver.

Déposer l'ail dans un caquelon et verser le vin blanc. Saupoudrer de noix de muscade et de poivre. Porter à ébullition. Réduire à feu doux et ajouter le fromage, petit à petit, tout en remuant constamment. S'assurer que tout le fromage soit fondu avant d'en ajouter une autre quantité. Surtout ne pas faire bouillir.

Délayer ensuite la fécule dans le lait, dans un petit bol, puis verser dans le caquelon. Remuer doucement et, à feu doux, ajouter la liqueur de cerise de terre. Réserver au chaud.

Faire réchauffer la miche évidée et sa calotte environ 2 minutes, au four préchauffé à 180 °C (350 °F). Verser la fondue dans le pain, couvrir de la calotte et servir aussitôt.

Accompagner de cubes de pain aux noix grillés, de pommes de terre grelots et de chips de fruits que vous tremperez dans la fondue avec une fourchette à fondue.

C

Restez régional et débouchez un vin québécois, vif, blanc. Moulin du Petit Pré, Orpailleur ou Vignoble sous les Charmilles.

!

MON PLUS BEAU SOUVENIR D'ENFANCE La cachette « BBQ » avec mes cousines ! **MA FRAYEUR D'ENFANT** La peur de manquer de nourriture. **MES ÉMISSIONS PRÉFÉRÉES ÉTANT PETIT** « Fanfreluche » et « La Ribouldingue ».

Me voici à trois ans aux côtés de mon cousin André Lapierre, lui aussi devenu restaurateur. Notre gratitude à l'égard de la « chef » est particulièrement visible !

VÉZINA Chef propriétaire, La Gaudriole

Tartelette de caribou du Nunavut au Pinot et au thé noirs

Pour 4 personnes

LA SAUCE

15 ml (1 c. à soupe) de beurre

2 échalotes grises, pelées et hachées

400 ml (1 2/3 tasse) de vin rouge, de préférence du Pinot noir

30 ml (2 c. à soupe) de thé noir à la bergamote (Earl Grey)

1 branche de thym frais

LA POÊLÉE DE LÉGUMES

8 choux de Bruxelles

4 carottes avec leurs fanes, pelées et coupées en deux dans le sens de la longueur

4 petits panais pelés et coupés en deux dans le sens de la longueur

4 topinambours coupés en deux dans le sens de la longueur

45 ml (3 c. à soupe) de beurre salé

125 ml (1/2 tasse) de grains de maïs

LE CARIBOU

45 ml (3 c. à soupe) de beurre

675 g à 800 g (1 1/2 lb à 1 3/4 lb) de noix de caribou, coupées en 12 médaillons

125 ml (1/2 tasse) de sauce demi-glace de veau (maison ou du commerce)

4 tartelettes de pâte brisée de 10 cm (4 po) de diamètre, précuites

Quelques feuilles de persil plat

Quelques pousses de maïs

Sel et poivre du moulin

LE MOT À LA BOUCHE

Originaire de l'Amérique du Nord, le *topinambour* est un tubercule dont la forme bosselée rappelle celle du gingembre et dont le goût est voisin de celui de l'artichaut.

B

LA SAUCE

Dans une petite casserole, faire chauffer le beurre à feu moyen, puis ajouter les échalotes. Faire rissoler 1 minute, ajouter le vin rouge et porter à ébullition. Ajouter le thé et le thym. Retirer du feu et laisser infuser 1 heure, à couvert. Filtrer avec une passoire fine ou un filtre à café. Réserver.

LA POÊLÉE DE LÉGUMES

Faire cuire les choux de Bruxelles dans l'eau bouillante salée. À la vapeur, faire cuire *al dente* les carottes, les panais et les topinambours. Dans un grand poêlon, faire mousser le beurre à feu moyen. Blondir les légumes sur le côté plat, les retourner, ajouter le maïs, saler légèrement et poursuivre la cuisson 2 minutes. Réserver.

LE CARIBOU

Saler et poivrer légèrement les médaillons des deux côtés. Dans une grande poêle, à feu élevé, faire chauffer le beurre et saisir les médaillons des deux côtés. Procéder en deux ou trois étapes en laissant votre poêle se réchauffer entre chacune d'entre elles. Le but est de bien caraméliser la viande, sans la cuire. Retirer la viande et réserver. Égoutter le beurre noirci, ajouter le vin parfumé et la demi-glace, et faire réduire à feu vif jusqu'à ce que la sauce nappe le dos d'une cuillère. Vérifier l'assaisonnement.

LA FINITION ET LA PRÉSENTATION

Pendant que la sauce finit de réduire, faire réchauffer la poêlée de légumes à feu élevé. Dans quatre assiettes chaudes, placer les tartelettes préalablement réchauffées et répartir les légumes.

! **MON PLUS BEAU SOUVENIR D'ENFANCE** La découverte d'un chariot de pâtisseries françaises. Pour la première fois, on m'avait laissé choisir ce que j'allais manger. J'ai cru que je pouvais les avoir toutes !

Faire réchauffer les médaillons de caribou dans la sauce. Déposer les médaillons en éventail sur les légumes. Si nécessaire, poursuivre la réduction de la sauce. Garnir de persil plat et de pousses de maïs.

Napper de sauce, en s'assurant d'en verser une partie directement dans l'assiette et le reste sur la tartelette.

Essuyer les gouttes de sauce avec un torchon à peine humide. Sonner la petite cloche afin qu'on vienne chercher tout ça. Servir pendant que c'est chaud !

C Un grand bourgogne rouge, corsé et de haute lignée. Gevrey-Chambertin, Sérafin Père & Fils.

La sauce au thé du rôti de ma grand-mère Antoinette fut la source d'inspiration de ce plat. À observer la façon joyeuse et attentive avec laquelle Antoinette s'affairait quand j'étais tout jeune, j'ai vite compris que la confection d'un repas était beaucoup plus qu'un élan d'hospitalité, mais un acte d'amour.

Nos 101 diablotins

méritent une auréole.

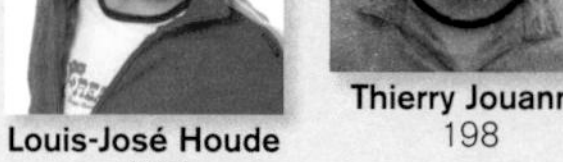

Index des finissant
Édition 200

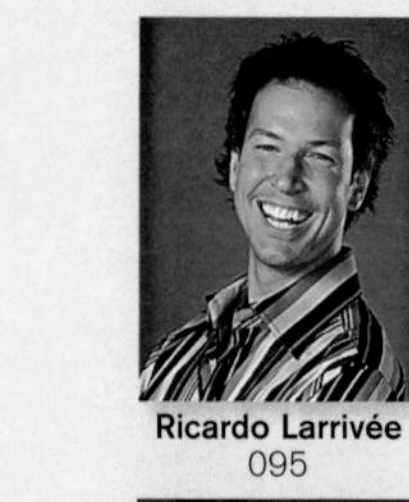

rent Godbout
196

Serge Grenier
080

Maude Guérin
085

any Laferrière
091

Rita Lafontaine
093

Normand Laprise
200

01 personnalités,
01 recettes

lain Lemaire
101

Lynda Lemay
102

Sophie Lorain
105

ie McClemens
113

David McMillan
203

Philippe Mollé
114

imio Nguyen
206

François Odermatt
121

Danielle Ouimet
123

Mahée Paiement
124

Esther et Sophie Paquette 126

Père Noël
129

Stelio Perombelon
208

Ian Perreault
210

Martin Picard
212

Jean-François Pico
215

Marc-André Pico
216

Claire Pimparé
131

André Provencher
132

Francis Reddy
134

Michel Rivard
137

Paul Delage Roberge
141

André Robitaille
142

Henri-Paul Rousseau
144

Georges Roy
147

Gildor Roy
148

Richard St-Pierre
151

Joey Saputo
152

Philippe Sauvageau
154

Ken Scott
156

Gilbert Sicotte
159

Julie Snyder
160

Jean Soulard
219

Philippe Sureau
163

L'honorable Lise Thibault 164

Marie-Christine Trottier
167

Michel Trudel
168

Jean-François Vachon
221

Pierre Verville
170

Daniel Vézina
223

Marc Vézina
224

Guillaume Vigneault
173

Bob Walsh
174

Kim Yaroshevskaya
176

Index des recettes

101 mercis

Il est né… le divin enfant. Permettez-moi de vous le présenter. Son histoire a commencé il y a neuf mois. Refrain connu, direz-vous. Ce que vous ignorez cependant, c'est qu'il n'a ni père ni mère, mais des centaines de parents, y compris le père Noël, qui ont veillé à sa naissance.

Mon premier merci va tout de go à André Bélanger pour son indéfectible amitié, et à Paul Delage Roberge pour sa confiance et ses encouragements répétés.

Merci à Carlos Ferreira pour son soutien de tous les instants.

Merci à tous les membres de l'équipe *101 personnalités, 101 recettes*.

Merci à Valérie Morency, à Robert Monté et à Irène Garavelli pour leur participation. Merci à Mélanie Cardin, pour nous avoir gentiment fourni l'échographie de sa fille Béatrice, à Marco Souza pour son souvenir de voyage, à Thérèse Boulad et à Christian Comeau, le vrai de vrai père Noël !

Merci à Stéphane Mailhot pour avoir cru au projet et l'avoir défendu au 2e étage.

Merci à la Guilde du pain d'épices pour nous avoir dévoilé la recette du père Noël.

Merci à nos mannequins en herbe et à leurs parents pour s'être montrés aussi généreux de leur temps.

À Patrick Brisebois pour ses précieux conseils et sa disponibilité.

À François Longpré de la boutique Les Touilleurs.

À Gilles Gosselin pour son grand cœur et sa patience.

Merci à Emmanuelle Demers, ma fierté.

À Françoise Dulac, mon « héroïne préférée » dans la vie.

Enfin, merci aux 101 personnalités qui ont chaleureusement contribué à ce projet.

— Johanne Demers

Autres crédits

MANNEQUINS EN HERBE

Justine Bédard, Marie-Chantale Dubreuil, Jeanne Dumouchel, Marie-Pier Forest et Gabriel Forest Bergeron, Carl et Tanya Gagnon, Samuel Gariépy, Brittany, Nathaniel et Sabrina Haboucha, Alex et Philip Lalonde, Étienne Mailloux Labelle, Ulysse Maynard Arsenault, Audrey et Karine Nadeau, Thomas Prud'homme, Jules Raymond, Gabriella, Julien et Sarah Santini Comeau, Mi Hien Vuong

ACCESSOIRES

Les Ailes de la Mode

Arthur Quentin

Carton

Quincaillerie Dante

Tissus d'ameublement Diva

Les Touilleurs

La Vie avec un Accent

Villeroy & Boch

Zone

PRODUITS ALIMENTAIRES

Nino Marcone, Chez Nino, Fruits et Légumes

Georges Roy, boucherie Slovenia

Richard St-Pierre, poissonnerie La Mer

AUTRES PHOTOGRAPHES

Lyne Charlebois pour Gildor Roy. Michel Cloutier pour Ricardo Larrivée. André Cornellier pour Guy Fournier. Roger Côté pour Jean Soulard. Martine Doyon pour Yves Beauchemin. Richard Gauthier pour Céline Dion. Josée Lambert pour Chrystine Brouillet. Jean-Claude Lussier pour Julie Snyder. Nicolas Morin pour Pierre Morency. ©Panneton-Valcourt pour Isabelle Boulay et Arlette Cousture. Monic Richard pour Maude Guérin, Gilbert Sicotte, Patrice L'Ecuyer, Josée di Stasio, Kim Yaroshevskaya et Sophie Lorain. Izabel Zimmer pour Julie McClemens.